Les bonnes recettes de France

BONS VINS
de
FRANCE

LA NOUVELLE LIBRAIRIE

HISTOIRE DU VIN

L'Histoire du vin se confond avec l'Histoire de l'homme. La Bible n'en fait-elle pas mention lorsqu'elle cite notre ancêtre commun Noé qui, après avoir fait son vin, l'apprécia tant et en but tellement qu'il devint, involontairement, le plus ancien ivrogne de tous les temps !

En France, l'historien Camille Jullian fait remonter la connaissance du vin à l'époque néolithique, "aux générations qui ont défriché et discipliné notre sol".

Les Gaulois qui n'étaient pas les "barbares" que les manuels d'histoire décrivent trop complaisamment et qui, au contraire, possédaient une civilisation très avancée, cultivaient la vigne et pratiquaient le foulage à pieds nus. Ils inventèrent le tonneau à vin tel qu'on le connaît encore. En revanche, ils n'utilisaient pas de procédés efficaces de vinification et leur vin devait être consommé rapidement. De même, il semble qu'ils ne parvenaient guère à protéger leurs récoltes contre les maladies causées par les parasites de toutes origines.

On pense généralement que les Grecs furent les premiers à savoir conserver leur vin. Les Romains s'inspirèrent des mêmes méthodes, assez proches de celles qui sont encore utilisées. Elles devaient atteindre même un certain degré de perfection puisque du vin opimien pouvait, paraît-il, être encore excellent à consommer alors qu'il avait 125 ans d'âge.

Quand les Romains envahirent la Gaule, la récolte du raisin avait déjà suivi une évolution très nette. La vigne était de meilleure qualité et devait cette évolution à un étranger, un Ionien nommé Euxène. Venu de Phocée, ce dernier débarqua sur la côte méridionale dans une région gouvernée par le roi Nann. Euxène devait posséder des dons de séduction certains puisqu'il fit la conquête de Gyptis, fille de Nann et qu'il l'épousa avant de fonder Massilia, la future Marseille. Le Phocéen avait apporté de l'Asie Mineure des ceps qu'il planta. L'histoire ne dit pas si son épouse gauloise et lui eurent de nombreux enfants mais l'union entre la vigne ionienne et le raisin indigène fut fructueuse. Ils eurent beaucoup de petits sarments.

En arrivant en Gaule, les Romains découvrirent donc un jus de raisin d'excellente qualité.

Ils importaient avec eux leurs procédés de réfrigération, de concentration par la chaleur, de plâtrage, de salage, de filtrage et de collage, qu'ils enseignèrent à leurs nouveaux administrés, lesquels, sur ce plan au moins, ne tardèrent pas longtemps à dépasser leurs maîtres.

Les Romains du IIIe siècle appréciaient déjà les vins de Moselle, qu'ils faisaient transporter par bateau jusqu'en Italie.
Cette sculpture, conservée au Musée de la Civilisation de Rome, est taillée dans un calcaire de la Côte de Moselle.

© 1983 - La Nouvelle Librairie - ISBN 2-86479-019-X

Une nouvelle géographie

Quand un produit se révèle très bon, on l'utilise évidemment mais on en fait aussi commerce. Rome acheta donc du vin gaulois. Ses légions en importèrent dans tous les territoires conquis. On commença à sélectionner les meilleurs crus. Et ainsi se dessina une nouvelle carte de la Gaule. Le transport se faisait surtout par voies fluviales, plus accessibles à l'intérieur du pays, et par voies maritimes pour l'exportation. Mais là où les cours d'eau n'étaient pas utilisables, il fallut créer tout un réseau de routes qui aboutissaient aux ports principaux de l'Atlantique comme de la Méditerranée. La géographie des grandes régions viticoles fut ainsi modifiée considérablement.

Hors même des secteurs privilégiés, on cultivait le raisin à vin. La Bretagne, le Nord lui-même avaient leurs vignobles. Le "protecteur" romain estima alors qu'on produisait trop de vin et pas assez de blé. En l'an 92, un décret de l'empereur Domitien ordonna d'arracher dans toutes les provinces de l'Empire au moins la moitié des vignes. Déjà frondeurs, nos ancêtres ne prirent pas ce décret trop à la lettre. Ils ne supprimèrent les vignobles que dans les régions où le vin obtenu n'était pas de bonne qualité et ils restèrent très loin des exigences de Domitien. L'édit impérial eut cependant un résultat bénéfique. Il permit de délimiter une bonne fois pour toutes les régions à bon vin.

Les moines au travail

Et puis, un jour, la Gaule devint la France. Elle avait subi de nombreuses invasions qui l'auraient laissée exsangue... s'il n'y avait eu le vin.

Septembre et les vendanges dans un codex provençal du XIIIᵉ siècle, illustration pour un bréviaire d'amour. (Bibliothèque royale, palais de l'Escurial, Madrid.)

Les Burgondes, les Goths, les Wisigoths, puis les Francs qui avaient abandonné des terres inhospitalières, avaient découvert un pays où ils pouvaient goûter la joie de vivre. On y mangeait bien, on y buvait encore mieux. Comme ils avaient le palais plutôt rude, le vin leur apparut d'abord comme une boisson plutôt fade. Ils y ajoutaient tout ce qui pouvait flatter leur goût : romarin, anis, hysope, myrte et même ail. Peu à peu, le palais s'adoucit en même temps que leurs mœurs... et Clovis, roi des Francs, se fit baptiser à Reims au vin de Champagne... qui n'était pas encore pétillant. Sa conversion et celle de ses soldats, devenus ainsi défenseurs de la Foi, vont permettre au Christianisme de prendre un essor extraordinaire. Des monastères, des abbayes se fondent un peu partout et surtout dans les régions viticoles. Les moines soignent leurs vignes avec dilection d'abord parce qu'ils aiment le travail bien fait, ensuite parce que leurs confréries s'enrichissent dans le commerce du vin. De là, naîtra la légende du moine rubicond et paillard caricaturé dans les chansons à boire. C'est oublier qu'au Moyen Age les religieux étaient pratiquement les seuls à venir en aide aux nécessiteux de toute espèce : malades, miséreux, infirmes, lépreux.

Et puis les acquéreurs sont nombreux qui prennent — quand ils ne s'en emparent pas — le plus gros de la production. Les

3

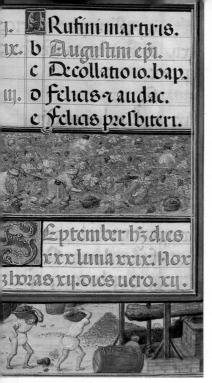

marchands qui font fortune sur le dos des exploitants, les soldats qui, dans cette époque batailleuse, ne se font pas faute de piller les caves et les réserves. Il y a, aussi, le seigneur qui veut sa part de chaque récolte.

Le vin est de toutes les fêtes, de toutes les occasions de se réjouir. On le fait couler à flots lors des tournois. Il est présent aux représentations de Mystères (sauf en carême), aux cours d'amour, à la fête de l'âne ou au vœu du paon. Le dit d'un fabliau, la venue d'un hôte de qualité, le passage d'un troubadour qu'on écoutera à la veillée tout en buvant force rasades sont prétextes suffisants. Et que dire des cérémonies familiales ? Baptêmes, mariages, anniversaires... il n'est pas un seigneur qui ne ferait le don de quelques barriques à ses manants. Le châtelain se doit de posséder une belle et grande cave surveillée par un "bouteiller". S'il offre un festin, il entend que le vin soit versé dans des hanaps d'or ou d'argent sertis souvent de pierres précieuses... Il démontre par-là qu'il n'est pas devenu un fin connaisseur. Sa vanité s'accommode davantage du contenant que du contenu.

Le vin et les rois

Les chasseurs à courre de Louis XV n'hésitaient pas à emporter quelques bonnes bouteilles pour accompagner leur repas. Les parties de chasse devenaient alors de plantureux déjeuners sur l'herbe, que le peintre Carle Van Loo aimait à représenter, dans le style rococo cher aux grands de son siècle.

La table royale est tout naturellement pourvue en bons vins mais, d'un roi de France à l'autre, les goûts diffèrent. François Ier préfère le vin du Lot que, plus tard, le tsar Pierre le Grand, séjournant en France, dira supérieur à la vodka... Philippe de Valois, le vaincu de Crécy, marquait sa préférence pour le Volnay qui sera aussi le vin de Louis XI. Le Roi-Soleil, Louis XIV, partageait ses faveurs entre les rouges de Nuits et les blancs de Mâcon. Louis XV, lui, se délectait de Beaune alors que la marquise de Pompadour prisait davantage le Romanée-Conti.

Napoléon, qui ne passa jamais pour un gourmet, se faisait suivre partout par un Chambertin qu'il osait, horreur ! couper d'eau. Mais quand il recevait Metternich, chancelier d'Autriche, il offrait le vin jaune du Jura que le diplomate trouvait supérieur à tout autre. Louis XVIII n'avait de goût que pour le Château-Margaux cependant que son frère Charles X buvait uniquement du Sauternes... ce qui prouve une fois de plus que tous les goûts sont dans la nature.

On ne peut pas citer dans la liste des rois amateurs de vin Louis XVI qui mangeait de tout quand il avait faim et buvait n'importe quoi quand il avait soif. En revanche, comment ne pas rappeler le penchant du Vert-Galant pour les vins pyrénéens ? Baptisé au Jurançon, croqueur d'ail, friand de plats épicés, Henri IV se satisfaisait de vins rudes, originaires de sa région. Quand il leur faisait quelque infidélité, c'était pour des raisons diplomatiques. Ainsi la ville d'Arbois, liée à la Ligue, n'avait capitulé devant le lieutenant du roi, Biron, que parce que ce dernier avait promis la vie sauve à tous. Or Biron, habitué au parjure, fit décapiter le gouverneur de la ville, Morel. Les Arboisiens voulurent reprendre la lutte. Et Henri IV ne les fit changer d'avis qu'en jurant ses grands dieux que le vin d'Arbois était le meilleur de tous et qu'il n'en buvait jamais d'autre !

Ce fut un dernier verre de rosé d'Arbois que Mme du Barry, autre favorite de Louis XV, dégusta avant de monter à l'échafaud. Colbert, le sévère ministre, buvait du Champagne. Des ecclésiastiques aussi connus que saint Bernard et Bossuet ne cachaient pas leur goût pour le bon vin. La nomenclature des écrivains, des artistes, des hommes politiques qui ne dédaignaient pas un verre du "divin nectar" serait trop longue à établir. Mais on peut rappeler que Talleyrand savait sélectionner les bonnes années des grands crus, que Victor Hugo plaçait le Pommard au-dessus de tous et qu'Alexandre Dumas, plus éclectique, avouait qu'il préférait... celui qu'il était en train de boire.

Venait-il de France, ce vin nouveau que les financiers de Londres allaient déguster au tonneau dans les docks ? Quoi qu'il en soit, ces bourgeois élégants ne craignaient pas d'y perdre leur dignité... et d'y gagner des couleurs.

Le vin et les bourgeois

Les rois, les seigneurs buvaient du vin mais les bourgeois et le bon peuple en avaient leur part. Dès le Moyen Age, les paysans qui aidaient aux vendanges étaient payés en nature essentiellement, les moines leur laissant un peu de la récolte. Et ce fut encore plus net quand les exploitants laïcs prirent le relais des religieux. De plus, en pays de vignobles, il n'était pas rare de voir un agriculteur cultiver aussi son carré de vignes.

Dans les cités, les bourgeois aisés avaient leur cave. Les autres achetaient leur vin au jour le jour. Dans *Le Journal d'un Bourgeois de Paris*, qui date de l'époque de Jeanne d'Arc, on peut lire notamment : « Une pinte de vin moyen pour les ménages coûtait au moins 16 deniers. On en aurait eu précédemment du meilleur pour 2 deniers. » Dans ce même récit, le vin est d'ailleurs cité très souvent, ce qui démontre bien qu'il constituait un des événements majeurs de la vie quotidienne.

Et c'est tellement vrai que parmi les sanctions prises par un vainqueur contre une ville qui lui a trop longuement résisté, on ne découvre jamais la "privation de vin".

A l'échelon populaire, toutes les manifestations sont "arrosées". Le vin a pu se trouver à la base d'émeutes plus ou moins spontanées tout comme il a coulé pour les réjouissances, les victoires ou la signature des traités de paix. Lors du premier conflit mondial, rien ne fut plus apprécié que "le vin chaud du soldat". Il a soutenu le moral dans les tranchées ou au moment de l'attaque. C'est pourquoi on a pu écrire que c'était le "pinard" qui avait permis au "poilu" de gagner la guerre.

La " Danse paysanne " a été peinte vers 1565 par Pieter Bruegel, dit Bruegel l'Ancien. (Kunsthistorisches Museum, Vienne.)

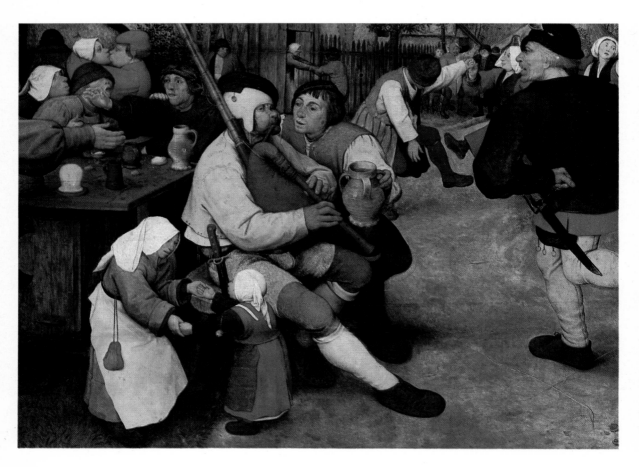

Le vin dans l'Histoire

Il pourrait être présent à chaque page de l'Histoire de France. Sans doute, son rôle n'a pas toujours été très bienfaisant. On a assez parlé, lors du sac d'une ville, des brutes "avinées" qui pillaient, violaient, détruisaient tout sur leur passage. Mais que de fois n'est-il pas intervenu dans la conclusion heureuse des combats ?

Il lui est arrivé, aussi souvent, de participer involontairement à des actions de guerre. On peut rappeler quelques anecdotes.

En l'an 451, Orléans, à bout de résistance, doit capituler devant Attila et ses Huns. La horde se répand dans la ville, pille, saccage à qui mieux mieux et, surtout, vide proprement les caves orléanaises. Alerté à temps par l'évêque de la ville, saint Agnan, le général romain Aetius arrive pour découvrir les soldats d'Attila pleins comme... des sacs à vin et qui se débandent dès le premier assaut. Ils refluent tant bien que mal vers les champs Catalauniques où Aetius les bat à plate couture.

A Morlaix, en 1522, la flotte anglaise remonte l'estuaire du Dossen. Un espion a signalé à l'amiral britannique que, ce même jour, une grande partie de la population a déserté la cité pour se rendre à diverses fêtes campagnardes. Les insulaires pénètrent sans coup férir dans Morlaix. Or c'est l'époque où les habitants ont fait entrer du vin dans leurs caves. Il fait chaud. Les envahisseurs décident de se désaltérer... et ils le font avec tant de bonne volonté qu'au soir les Morlaisiens, de retour chez eux, constatent que toute la flotte anglaise est soûle comme un seul homme... Ce n'est plus le vin mais le sang qui coule à flots. Les bateaux ne repartent qu'après avoir perdu la majorité de leurs troupes et sans emporter la moindre prise. C'est après cette affaire que Morlaix ajoute sur ses armes un lion face au léopard anglais avec cette devise en forme de calembour : « S'ils te mordent, mords-les ! »

Morlaisiens ou pas, les Bretons passent pour de francs buveurs. En 1678, la marquise de Sévigné assiste en Bretagne à un "banquet des Etats" ou quatre cents pièces de vin sont épuisées. A la fois admirative et stupéfaite, elle écrit à sa fille : « Il passe autant de vin dans le corps d'un Breton que d'eau sous les ponts. »

Le 7 décembre 1513, une armée de 30 000 hommes comprenant des Suisses, des Allemands et des Francs-Comtois assiège Dijon, défendue par une faible garnison. Sommé de se rendre, le gouverneur a alors une idée. Il feint d'accepter et envoie à l'ennemi des négociateurs... précédés d'un convoi de tonneaux de vin de Bourgogne. On parlemente un peu, on boit beaucoup, on fraternise... et les assiégeants décident, en fin de compte, de lever le siège.

Un produit inégalable

On pourrait multiplier les exemples. Et en découvrir autant hors de nos frontières car le vin français continue à être primé partout dans le monde en dépit de la concurrence parfois agressive, parfois à la limite de l'honnêteté, des terroirs étrangers. N'a-t-on pas vu, notamment, des viticulteurs américains baptiser leurs vignobles du nom de grands crus français afin de proposer des Pommard, des Chambertin ou des Médoc nés sous le ciel de Californie ? La fraude a fait long feu mais elle est significative. En attendant peut-être un Alsace chinois, le Bourgogne américain pas plus que le Champagne russe ne parviennent à concurrencer le vin français.

D'où vient cette supériorité incontestable sinon incontestée ? Pas uniquement de la vigne elle-même puisque, il y a un peu plus de cent ans, le vignoble européen a failli être détruit complètement par une sorte de pou américain, le tristement célèbre phylloxéra. Par bonheur, le même continent qui exportait le fléau fournit également le remède. On greffa les vignes d'Europe — et de France — sur des souches américaines résistant à l'insecte dévastateur. Et le vignoble retrouva une nouvelle vigueur.

Bien entendu, on s'est empressé, outre-Atlantique, de réaliser l'expérience inverse... sans obtenir les mêmes résultats. Il faut, pour produire un vin de grande qualité, la conjonction d'éléments naturels qui ne se forme réellement qu'en France : le climat, l'orientation, l'ensoleillement et, surtout, la composition même du sol, de la terre. Il faut également tout le savoir, toute la technique que les vignerons se passent de père en fils, et cela depuis des siècles, même si l'industrialisation, la modernisation jouent désormais leur rôle.

Car, ainsi que le remarque avec justesse un œnologue connu, il n'a pas fallu moins de 2 000 ans d'observations, d'échecs, de recherches "et pour tout dire, d'amour, pour assigner à chaque cru la place qui lui revient aujourd'hui".

Le calendrier du vigneron

Il n'est pas possible, ici, de parler en détail de l'art de la vinification mais on peut néanmoins rappeler qu'il procède d'un calendrier rigoureux que le vigneron doit respecter et qui ne laisse pas de temps morts.

Janvier. La taille qui autrefois commençait le 22 janvier, jour de la saint Vincent (patron des vignerons), se fait maintenant dès la mi-décembre. La vigne supporte une basse température n'allant pas au-dessous de —18 °C. On pratique un ouillage constant des fûts de vin nouveau (ouiller, c'est remplacer dans les fûts le vin qui s'est évaporé) ainsi que le nettoyage des bondes à l'anhydride sulfureux. Si le temps est beau et sec, on met le vin le plus ancien en bouteilles.

Février. La taille finie, on prélève les boutures à greffer. On procède à la révision du matériel. A la nouvelle lune et sous forte pression atmosphérique, on peut commencer le soutirage du vin nouveau en fûts nettoyés.

Mars. On va mettre le nez au-dehors aux environs du 15 car, avec le recul du froid, la vigne reprend vie. On finit la taille et on effectue un premier labour profond de façon à aérer le bas du cep. Puis on termine le premier soutirage avant le 25 ou le 27 mars. On finit la mise en bouteilles.

Avril. On nettoie la vigne en brûlant les derniers sarments, en remplaçant les piquets en mauvais état. On plante les vignes conservées sous serre... et on prie le ciel de ne plus amener gel et grêle... En cave, on ouille encore.

Mai. C'est le moment de ne pas hésiter à "chauffer" la vigne en cas de besoin. Il est d'ailleurs habituel d'allumer des poêles lorsque la nuit trop claire risque de provoquer le gel. On pratique un deuxième labour qui doit éliminer les mauvaises herbes. On taille les gourmands et on pulvérise contre le mildiou et l'oïdium, ces ennemis mortels (avec le phylloxéra) de la vigne. En cave, on entreprend le deuxième soutirage qui séparera le vin de la lie.

La taille de la vigne a peut-être inspiré un vigneron talentueux, qui au cours d'une soirée d'hiver, en hommage à la noblesse de son geste et par amour du vin, aura troqué son sécateur contre un ciseau à bois.

De Hunawihr, petit village d'Alsace perdu dans les vignes, seul dépasse le clocher, au milieu des pieds et des sarments envahissants.

Juin. C'est le temps de la floraison. On lie les sarments les mieux fleuris. On soufre contre l'oïdium. En cave, on termine le deuxième soutirage du vin nouveau.

Juillet. On asperge la vigne avec un mélange appelé bouillie bordelaise. On arrache encore les mauvaises herbes et on taille les sarments trop longs. On doit maintenir la fraîcheur de la cave.

Août. On lie encore les beaux sarments et on élimine toujours les mauvaises herbes. On procède au nettoyage du matériel de vendange. En cave, on inspecte et on nettoie soigneusement les cuves et les fûts qu'on va bientôt utiliser. Attention, par temps très chaud, le vin léger risque de tourner.

Septembre. Dans des conditions normales de température, c'est le mois des vendanges. On surveille la vigne pour en chasser les oiseaux. On récolte le raisin, surtout vers le 20, et on continuera en octobre. On a bien entendu récuré le cuvier, passé de l'antirouille et empli les récipients d'eau afin de faire gonfler le bois.

Octobre. La vendange se poursuit. Puis on fume. On utilisera le marc comme engrais. On commence à songer aux nouvelles plantations en travaillant le sol. Pour la vendange, on engage de la main-d'œuvre composée généralement d'étudiants. Ils sont assez bien payés et leur entretien est assuré pendant leur séjour. Mais le travail qui se fait au sécateur est très dur... et les tours de reins ne se comptent pas.

Novembre. On taille les longs sarments et on fume une dernière fois. On laboure en buttant le cep afin de le protéger du gel. En cave, on n'a pas attendu pour soutirer le vin d'un an. On pose des bondes qu'on fera mouiller en tournant chaque fût de 90°. On transporte les barriques au chai de deuxième année pour faire place au vin nouveau. Si la vendange a été excellente, on soutire le vin nouveau. Dans le cas contraire, on le laisse un mois sur sa lie.

Décembre. On égalise la vigne en remontant la terre qui a pu être entraînée par les pluies. On commence la taille vers le 20 décembre. On ouille souvent les fûts. On met en bouteille le vin de deuxième année... et on peut goûter le vin nouveau.

Enfouis sous la neige, ces pieds de vigne semblent morts et l'on imagine difficilement que de ce paysage désolé puisse renaître au printemps une vigne jeune et vigoureuse.
C'est elle pourtant qui produit les excellents cépages de la Côte-de-Beaune, et les vignerons prennent le plus grand soin pour la protéger du froid hivernal.

Carte des vins de France

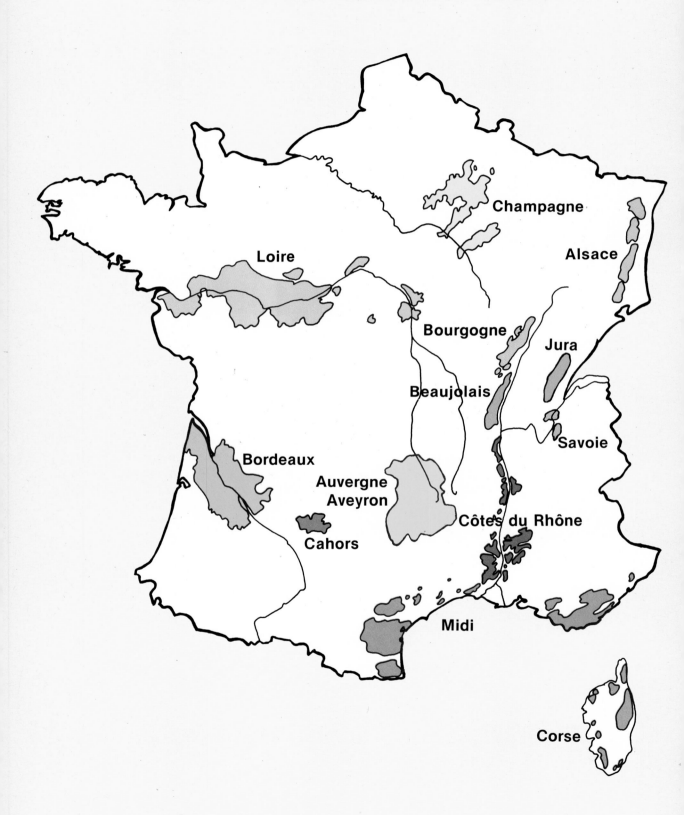

LES VIGNOBLES DE FRANCE

Au pied de la ligne bleue des Vosges, s'étend le vignoble alsacien, émaillé de petits villages vinicoles.
C'est à l'ombre de ces montagnes aux formes et aux couleurs si douces que l'on produit les plus grands crus des vins blancs d'Alsace.

LA ROUTE DU VIN EN ALSACE

Le vignoble alsacien offre une particularité. On a tracé une route qui, sur la carte, s'étire à la verticale depuis Thann jusqu'à Saverne en laissant hors du compte les trois villes principales : Mulhouse, Colmar et Strasbourg mais surtout, on peut à chaque arrêt, ou presque, apprécier tous les vins alsaciens. En effet, chaque viticulteur tient à l'honneur d'avoir dans sa récolte les principaux cépages et il est heureux de pouvoir faire goûter à ses visiteurs aussi bien le Sylvaner que le Riesling, le Tokay que le Traminer, ou le Pinot que le Gewurtztraminer ou le Muscat. 11

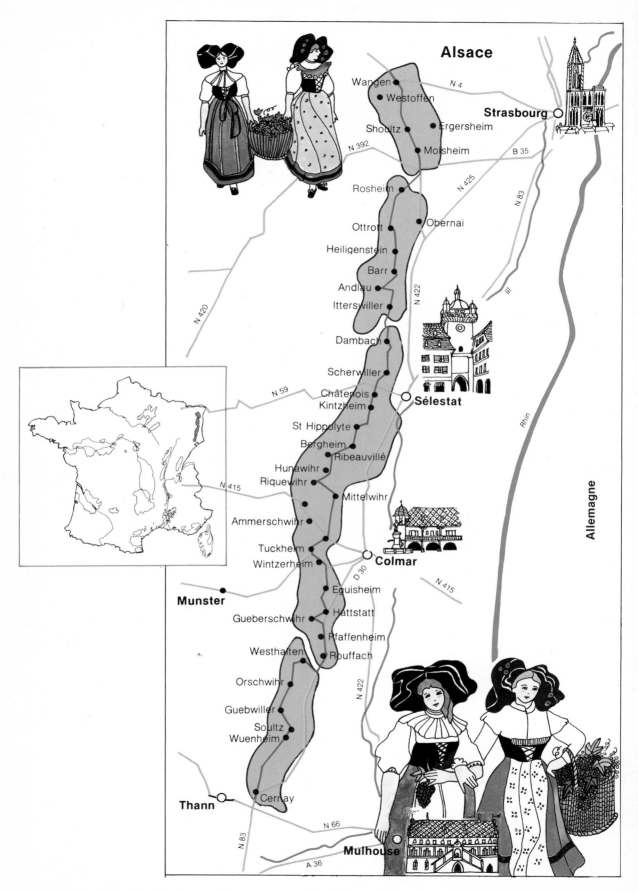

Alsace

Wangen

Westoffen

Shoultz

Ergersheim

Molsheim

Strasbourg

Rosheim

Ottrott

Obernai

Heiligenstein

Barr

Andlau

Itterswiller

Dambach

Scherwiller

Châtenois

Kintzheim

Sélestat

St Hippolyte

Bergheim

Ribeauvillé

Hunawihr

Riquewihr

Mittelwihr

Ammerschwihr

Tuckheim

Wintzerheim

Colmar

Eguisheim

Hattstatt

Gueberschwihr

Pfaffenheim

Westhalten

Rouffach

Orschwihr

Guebwiller

Soultz

Wuenheim

Munster

Cernay

Thann

Mulhouse

Allemagne

Rhin

N 4

N 392

N 425

N 83

B 35

N 422

III

N 420

N 59

N 415

D 30

N 415

N 422

N 83

N 66

A 36

Mais il serait dommage de ne faire qu'une halte dans un vignoble aussi riche en vins de qualité et en pittoresque. De plus, l'hospitalité alsacienne possède une qualité de base qu'on découvre d'ailleurs dans les produits de la région : la franchise. Pour le vin, chaque cru est naturel, sans mélange de cépages (exception faite pour l'Edelzwicker) ni collage. Pour l'accueil, il est souvent fonction de la première impression. Pendant longtemps, l'Alsace a servi d'appât entre ses deux grands voisins. Disputée, occupée par l'un ou par l'autre, placée de plus sur la route des grandes invasions, elle a forgé dans son infortune des qualités qui lui sont propres. Dans la partie de "à toi, à moi" qui se jouait sur son dos, et sans qu'on lui demande son avis, elle s'est repliée sur elle-même, sur ce qui lui permettait de garder sa personnalité. Opposant aux envahisseurs un visage fermé, elle a conservé soigneusement ses traditions. Nulle part ailleurs en France, on ne découvre un tel respect du passé, de l'histoire locale, de la légende.

Même pour ceux qui n'éprouvent plus le besoin de prier, le clocher reste le symbole de la cité, de l'unité, de l'entité alsaciennes. C'est pourquoi toute occasion est bonne de revêtir les costumes d'autrefois, de chanter les vieux airs scandés, de retrouver les danses du passé. Et, puisque le vignoble reste la grande richesse du pays, on le mêle à toutes les réjouissances.

Une gamme puissante

Cette ravissante enseigne aux couleurs de l'Alsace signale la devanture d'un marchand de vin. Suivant sa bonne étoile, le viticulteur devient gourmet et célèbre le vin comme une providence.

La gamme des vins alsaciens n'est pas étendue. Elle tient sur une portée avec quelques dièses et elle ne s'écarte guère du blanc. Elle en profite pour en jouer puissamment. Les vignerons veulent produire un breuvage ferme, sec, au goût net. Le sucre naturel est fermenté, ce qui permet de concentrer les essences du raisin et de lui donner un bouquet solide.

Le champion incontesté de la série est le Riesling. Viril, fier, corsé, il est de la lignée des grands blancs français et il s'y place même au tout premier rang. Il accompagne, mais en les dominant, les poissons, les crustacés, les fruits de mer et, bien entendu, la choucroute.

Le Gewurtztraminer... il faut l'aimer. Son parfum, caractéristique, très accrocheur, heurte certains palais. Puissant, bien charpenté, il peut se boire avec plaisir comme apéritif ou au dessert, mais il se marie aussi avec le foie gras ou le fromage.

Le Traminer, né du même cépage, sait se montrer plus doux.

On peut leur opposer le Muscat, plus sec, très fruité mais qu'il faut boire jeune. A l'apéritif, son goût musqué restitue la saveur du raisin frais.

Dans la théorie des Pinot, on dit que le blanc s'accommode avec tout. Souple, nerveux, il garde un rien d'acidité. Le Pinot gris, capiteux et corsé, peut se boire avec les viandes et le gibier. On lui donne également le nom de Tokay car la tradition veut qu'il ait été importé de Hongrie au XVIe siècle. On produit un Tokay doux qui met en valeur le foie gras. Quant au Pinot noir, il bénéficie actuellement d'une promotion qui entend démontrer que l'Alsace peut très bien produire un vin rouge. En réalité, il est plutôt rosé. Opulent, très fruité, il se déguste avec la volaille, la viande rouge, le gibier.

Les œnophiles ont tendance à esquisser une moue devant un Sylvaner, désigné comme un "petit vin" moins fruité que les autres. Il n'en reste pas moins plaisant et souvent on découvre de l'allégresse dans son bouquet. Il n'est pas à négliger face aux entrées, aux fruits de mer, à la choucroute. Il est rafraîchissant.

Le Chasselas est moins recherché qu'autrefois. On le produit encore dans la région de Niedermorschwihr et quelques autres coins. Désaltérant, léger, il ne présente pas de caractère défini, pas plus que le Knipperlé. On a signalé que l'Edelzwicker était un vin "coupé" mais il faut préciser qu'il s'agit de coupages de vins issus de cépages nobles, ce qui lui donne beaucoup de finesse alors que le Zwicker, de plusieurs tons en dessous, donne un petit vin de café et de comptoir.

Si vous passez par Riquewihr au cours d'une visite au vignoble alsacien, vous y dégusterez un excellent Riesling. Mais avant de pénétrer dans les caves, allez admirer le château du XVIe siècle et sa double enceinte du XIIe siècle, vestige des fortifications des comtes de Horbourg.

Pour effectuer un tour complet, il faut signaler le Muller-thurgau, mélange de Riesling et de Sylvaner, et qui n'offre vraiment qu'une qualité moyenne.

Si chaque vigneron tient à avoir la série complète ou presque des vins alsaciens, il est nécessaire de préciser que la qualité diffère d'un vignoble à l'autre. Il faut donc bien connaître sa route des vins pour savoir où choisir le Riesling le meilleur, le Muscat le plus riche ou le Pinot le plus corsé.

Enfin, il faut signaler que, depuis peu, certains viticulteurs ont décidé de "champagniser" une partie de leur récolte et qu'ils obtiennent un mousseux d'excellente tenue.

Heurs et malheurs d'un vignoble !

Le vignoble alsacien a connu la même progression dans le temps que les autres vignobles français. Mais il a été le théâtre de tant d'invasions et de luttes parfois fratricides qu'à plusieurs reprises on l'a cru ruiné. L'occupant pillait, brûlait, violait et s'enivrait jusqu'à plus soif et bien au-delà... Après chaque carnage, les habitants qui avaient eux-mêmes échappé aux massacres réapparaissaient dans leurs villages, mesuraient l'étendue du désastre puis, avec une obstination de tous les moments, ils relevaient leurs ruines et remontaient leurs vignes.

Après la dernière guerre, les dégâts ont été moins importants qu'en d'autres périodes. Il n'en a fallu pas moins travailler avec acharnement — d'arrache-pied pourrait-on dire plaisamment — pour redonner au vignoble son aspect et son efficacité. La longue suite d'années sans violences a permis d'avoir aujourd'hui une route du vin qui, sur ses quelque cent trente kilomètres, occupe trente mille familles. La production annuelle se chiffre à environ 800 000 hectolitres sur lesquels 160 000 hectolitres (soit plus de 22 millions de bouteilles) sont expédiés vers l'étranger. Une promotion intelligente est menée. Et elle donne d'excellents résultats puisque l'exportation a doublé en quatre ans. L'Allemagne, la Belgique, les Pays-Bas mais aussi les Etats-Unis comptent parmi les meilleurs clients avec une préférence marquée pour le Riesling, le Muscat et le Pinot gris.

La route des vins n'offre pas que des vignes au visiteur. Elle est fleurie. Dans chaque localité, les maisons typiques avec leurs colombages dispensent à profusion sur leurs balcons ou leur seuil le rouge et le bleu, le vert et le blanc ou le jaune. Chaque rue a ses vasques, ses corbeilles. Et si on lève les yeux, on peut contempler de très belles enseignes... mais aussi, et avec un peu de chance, un couple de cigognes dans son nid. Car ils reviennent, les grands oiseaux messagers de bonheur. Deux centres de réadaptation, aménagés à Kintzheim et à Hunawihr, permettent de croire au miracle et donnent déjà des résultats très intéressants.

Le problème consistait à "sédentariser" les cigognes, à leur ôter l'envie de quitter leur terre de prédilection. Il semble bien qu'on ait trouvé la solution.

**La capitale
du vignoble**

Si Colmar n'a pas sa banlieue occupée par les vignes, elle en reste tout de même assez proche et sa position, presque à mi-chemin entre Thann et Saverne, villes extrêmes de la route des vins, en a fait tout naturellement la capitale du vignoble. On ne manquera pas d'y faire étape quand ce ne serait que pour contempler, au musée d'Unterlinden, le *Retable d'Issenheim* dont la pièce centrale est la Crucifixion et qui présente des scènes d'un réalisme extraordinaire. Dans la même salle, on découvre de remarquables statues en bois exécutées également par Matthias Grünewald. La resplendissante *Vierge au buisson de roses*, dans l'église des dominicains, la "maison des Têtes", la maison Pfister valent aussi le coup d'œil dans cette ville très active, berceau notamment du sculpteur Bartholdi.

Peintre rhénan du XVe siècle, Martin Schongauer a réalisé de nombreux retables. Il peignit cette " Vierge au buisson de roses " en 1473. Il est aussi l'auteur de très belles gravures sur cuivre, qui inspirèrent les artistes allemands et vénitiens de cette époque.

On ne peut indiquer tous les pôles d'intérêt qui s'échelonnent au long de la route. Mais comment ne pas citer, tellement on le voit de loin, le château du Haut-Kœnigsbourg, énorme forteresse médiévale aux tours — et détours — tellement nombreux que les défenseurs devaient s'y perdre autant que les assiégeants ? Il avait été incendié par les Suédois en 1613. La municipalité de Sélestat qui en avait la charge et qui ne savait trop que faire de ces ruines l'avait offert à l'empereur d'Allemagne Guillaume II. Le Kaiser s'en enticha. Il le fit reconstruire... juste avant que n'éclate la Première Guerre mondiale. Il put ainsi, mais très involontairement, faire un magnifique cadeau à l'Alsace et à la France !

On passera à Riquewihr, hélas trop commercialisée, et on fera le pèlerinage à sainte Odile, patronne de l'Alsace.

Quand la guerre n'est pas à leurs portes, les Alsaciens reconnaissent qu'ils ont tout pour être heureux. Ils ajoutent qu'ils ne le seront jamais tout à fait « car, disent-ils, nous sommes comme le héros d'une de nos chansons populaires intitulée *Jeannot du nid des moustiques* ». Le refrain assure que ce Jeannot, bien alsacien, a tout ce qu'il peut désirer mais ne possède pas ce qu'il désire et ne désire pas ce qu'il possède !

CHAMPAGNE : LE PLUS "MONDIAL"!

C'est le plus célèbre, le plus "mondial" des vins. On fête tous les grands événements au Champagne. On en débouche une bouteille à la gloire des cosmonautes ou à la signature d'un traité. On le déguste après une grande victoire sportive ou pour le lancement d'une marque. Dans la vie familiale, il est également présent à un baptême ou à un mariage. On le dit revigorant tout autant que digeste. On en a fait le symbole de l'esprit français : pétillant mais léger... et fugace.

Partout, hors de nos frontières, on cherche à le copier tout en sachant qu'il est inimitable. Heureux pays que le nôtre qui vit un jour naître dom Pérignon !

La mécanisation a considérablement allégé le travail du vigneron. Le sulfatage, opération indispensable à la protection de la vigne contre les parasites, est maintenant réalisé à grande échelle, avec des machines spécialement adaptées à la disposition des vignobles.

17

Oh ! Le Champagne existait avant que n'apparaisse ce maître-caviste à l'abbaye de Hautvillers, à la fin du XVIIᵉ siècle. Avant lui, si l'on en croit Patrick Forbes, historien du Champagne, les Anglais qui appréciaient fort ce vin français avaient découvert le moyen de le rendre mousseux. Ils le faisaient venir en tonneaux et le mettaient eux-mêmes très rapidement en bouteilles. Ainsi le vin continuait à fermenter et le gaz naissant de cette fermentation restait enfermé. Déjà, grâce à ce procédé très simple, il "faisait des bulles". Un seul ennui... il arrivait que sous la pression la bouteille explosât.

Dom Pérignon utilisa des bouteilles plus solides. Il étudia l'art de mélanger les cépages de plusieurs secteurs et il ligatura le bouchon au goulot. Le premier, il "domestiqua" la mousse, cette fameuse mousse du Champagne. Pour bien y parvenir, il mit au point une technique qui est toujours respectée et qui est la suivante. Un vin blanc sec est enfermé dans une bouteille capable de résister à six atmosphères. On ajoute un levain actif et une liqueur sucrée, et on bouche soigneusement la bouteille. Une fermentation lente se produit. On l'appelle "la prise de mousse". On laisse passer plusieurs mois avant de disposer les bouteilles la tête en bas, afin de déplacer lentement le dépôt de lie jusqu'au bouchon. Chaque jour, on pratique le remuage, c'est-à-dire qu'on tourne chaque bouteille à la main, le mouvement de rotation étant limité. Ce remuage dure trois mois.

Le moulin de la commune de Mailly domine un vignoble champenois de grande qualité, puisqu'il produit un Champagne de premier cru, issu d'un vin rouge.

On laisse ensuite les bouteilles, toujours tête en bas, pendant des mois et même des années. Ce n'est qu'au moment de l'expédition qu'on procédera à une dernière opération appelée dégorgeage et qui est délicate. Il faut expulser le dépôt amassé contre le bouchon et le remplacer par une dose de "liqueur" formée d'un mélange de sucre et de vieux vins de Champagne. Un bouchon neuf, hermétique et solidement "muselé", complète le travail.

En haut. Dans le relief assez plat de la région de Champagne, les coteaux des environs de Reims deviennent montagne, et c'est sur cette Montagne de Reims que s'étend l'une des trois parties du vignoble champenois.

A droite. Le remuage des bouteilles dans les caves de Champagne.

La qualification du Champagne en doux, demi-sec, sec, extra-sec et brut se fait selon la quantité de liqueur d'expédition. Pour le brut naturel 100 % on n'ajoute que du vin sans sucre.

Chaque opération de la méthode champenoise est effectuée par de véritables spécialistes et il n'est que de voir le "remueur" agir délicatement pour constater qu'on peut être amoureux du Champagne même si on en reste séparé par l'épaisseur d'une bouteille.

Les grandes marques de Champagne se maintiennent à un haut niveau parce qu'elles ont des dégustateurs subtils capables de prévoir, en goûtant un vin jeune, ce qu'il deviendra lorsqu'il aura vieilli. Ainsi parviennent-ils à réaliser de parfaits assemblages de cuvées.

La région de Champagne se situe à peine à cent cinquante kilomètres de Paris. On la divise en trois secteurs qui ceinturent les deux grands centres du vin prestigieux, Reims et Epernay :

— la Montagne de Reims qui produit surtout des vins rouges : Verzenay, Rilly, Mailly, Verzy, Bouzy ;

— la vallée de la Marne avec Ay, Mareuil, Damery, Cumières et Epernay ;

— la côte des Blancs où l'on découvre Cramant, Avize, Oger, Le Mesnil-sur-Oger, Vertus.

Il s'y ajoute le petit vignoble aubois autour de Bar-sur-Seine et Bar-sur-Aube.

A la mémoire du "créateur" du Champagne, une jolie enseigne orne la façade d'un magasin du village de Hautvillers, patrie de Dom Pérignon.

L'élaboration du Champagne s'est toujours faite à partir de deux cépages principaux : le pinot noir qu'on vinifie en blanc et le pinot chardonnay. Toute la qualité des diverses marques part du dosage que l'on fait entre les deux. S'il y a prédominance du pinot noir, on aura un vin plus corsé. Si le chardonnay a une part prépondérante, on obtiendra un blanc de blanc très fin et léger. Les intermédiaires, assez nombreux, se trouveront dans de grandes maisons qui conservent jalousement le secret de leurs dosages.

On ne dénombre pas moins de 17 000 propriétaires qui se partagent les 23 500 hectares du vignoble. Contrairement à ce qu'on pourrait croire, les très grandes firmes mondialement connues et qui vendent les deux tiers du Champagne ne possèdent en bien propre que 13 % de cette superficie. Mais elles ont des contrats d'achat avec de nombreux petits exploitants.

La visite des caves champenoises est toujours spectaculaire. Certaines d'entre elles s'enfoncent dans le sous-sol de carrières de craie et possèdent un réseau ferré de vingt kilomètres. Et on est toujours étonné, au cours de la visite, de voir en face de soi, des Jéroboam, des Nabuchodonosor, énormes bouteilles qui semblent n'avoir été créées que pour un Gargantua.

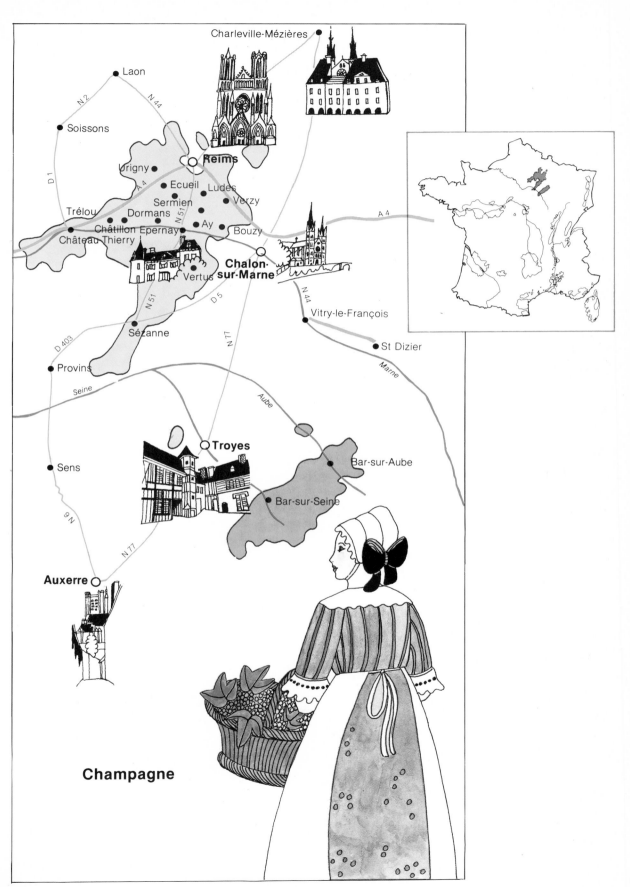

Charleville-Mézières

Laon

N 2   N 44

Soissons

D 1

Reims

Urigny   Ecueil   Ludes

A 4   Sermien   Verzy

Trélou   Dormans   N 51   Ay

Châtillon   Epernay   Bouzy

Château Thierry

A 4

Chalon-sur-Marne

Vertus

N 51   D 5   N 44

Vitry-le-François

D 403   N 77

Sézanne

St Dizier

Provins

Marne

Seine

Aube

Troyes

Sens

Bar-sur-Aube

N 6

Bar-sur-Seine

N 77

Auxerre

Champagne

21

Une particularité des vins de Champagne : ils sont désignés non pas du nom de leur vignoble mais de celui des grands propriétaires. C'est justice puisqu'on leur doit en grande partie le maintien des traditions et de la qualité du "vin des rois".

La Champagne ne passe pas pour une des régions les plus pittoresques de France. Elle apparaîtrait d'un gris peu plaisant s'il n'y avait les verts de ses vignes. On s'arrêtera sans doute à Epernay pour y visiter le musée du Champagne et de la Préhistoire. A Reims, qui donc s'abstiendrait d'admirer la cathédrale Notre-Dame et la basilique Saint-Rémi ? Mais, peut-être, à l'extrême-sud du vignoble, passera-t-on dans la petite localité appelée Bergères-les-Vertus parce qu'elle a une jolie petite église romane et qu'un poète malicieux lui a consacré ce quatrain : « Le pays des bergères où elles ne sont guère, le pays des vertus où elles n'en ont plus. »

La Marne près des collines d'Epernay.

Un vignoble du Bordelais après l'orage, à Sauveterre-de-Guyenne.

LE BORDEAUX ET SES CHATEAUX

Elle restera éternelle la querelle entre œnophiles qui cherchent à donner une solution à une question sans réponse possible : quel vin est le meilleur du Bordeaux ou du Bourgogne ?

Certains prétendent se tirer d'affaire en avançant que rien ne vaut le Bordeaux rouge et le Bourgogne blanc... Ils se montrent plus diplomates que convaincus !

Un fait, pour le moins, est établi : le Bordelais est le plus important producteur des grands vins du monde. Ses rouges et ses blancs, en quantités à peu près égales, dépassent, bon an, mal an, une production de plus de 4 millions d'hectolitres.

Délimiter une très vaste région n'est pas tâche tellement facile. Si quelques vignobles ne produisent que du rouge — et quel rouge ! —, d'autres partagent leur terroir pour donner aussi du blanc. D'autres, enfin, ne veulent offrir que du blanc. Mais on peut, plus aisément, citer les cépages qui sont à l'origine de tels trésors. Pour le rouge, on a le cabernet, le malbec et le merlot. Pour le blanc, le sauvignon, le sémillon et le muscadelle.

A beaucoup de Bordeaux s'ajoute le nom de Château, appellation qui n'est pas toujours contrôlée car la résidence autour de laquelle s'étale le vignoble n'est souvent qu'une bâtisse massive, sans aucune élégance. La vérité oblige tout de même à préciser que sur les quelque 3 500 châteaux bordelais, il en est un nombre assez grand où l'on est reçu sans prétention avec la seule préoccupation de plaire aux visiteurs comme aux amis.

23

Si l'on décide d'établir tout de même la carte du Bordelais vinicole, on peut la présenter en sept régions.

Le Médoc

Il forme un quadrilatère de soixante-dix kilomètres de long sur une largeur d'une dizaine de kilomètres mais qui va en se rétrécissant pour atteindre Soulac, vers la Pointe du Graves. Avec à sa base Saint-Médard-en-Jalles et Blanquefort, près de Bordeaux, il suit toute la côte ouest de la Gironde. Le Bas-Médoc fait un peu figure de parent pauvre, mais n'en produit pas moins des vins souples et parfumés. Un Lesparre-Médoc ou un Vendays-Montalivet se boivent avec beaucoup de plaisir.

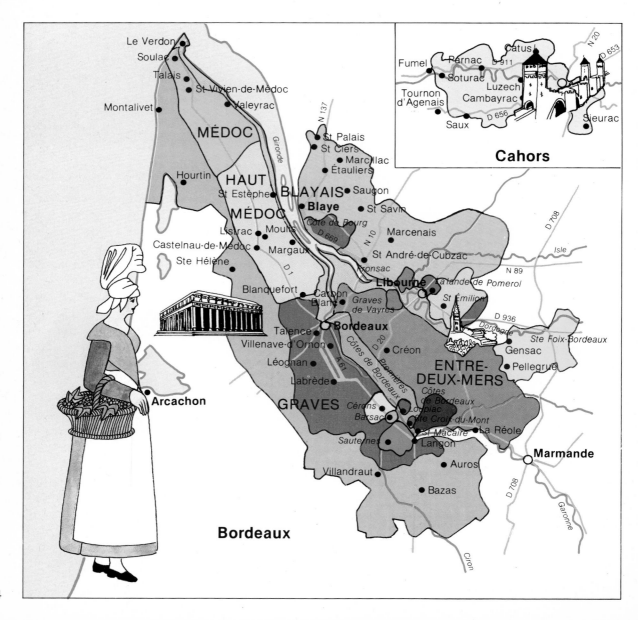

Si on passe au Haut-Médoc, on découvre une gamme inégalable qui se joue sur six notes : le Saint-Estèphe dont le produit
est à la fois souple et corsé, très bouqueté. Il vieillit remarqua-
blement. Le Listrac qui a des vins charnus, légèrement âpres au
palais qu'il accroche ainsi agréablement. Il y a un Listrac blanc
mais en petite quantité. Le Pauillac qui s'honore de posséder
trois des cinq premiers crus du Médoc : Lafite, Latour et Mouton-
Rothschild. Ils proposent en commun la fraîcheur du fruit, la
subtilité et le corps avec une pointe de bois aromatique qui s'allie
à la sécheresse du chêne. Après leur passage, ils laissent dans
la bouche une impression de douceur heureuse, pour ne pas
dire de félicité. Les autres Pauillac, Pontet-Canet, Lynch-Bages,
Grand-Puy-Lacoste, et tant et tant de châteaux, ont tous de
la tenue.

Margaux fait également partie des grands de la Gironde.
Beaucoup d'amateurs prétendent qu'un Margaux d'une bonne
année est le meilleur de tous les Bordeaux. Il atteint alors les
sommets de la finesse, de la subtilité, de la souplesse. Château-
Margaux et son voisin Château-Palmer ont une réputation mondiale. D'autres châteaux : Lascombes, Rauzan, Malescot, Issan,
pour ne citer que ceux-là, restent très estimés.

*C'est le petit château de
Margaux, au cœur d'une
minuscule commune de la
Gironde, qui a donné son
nom à l'un des plus réputés
des vignobles de Bordeaux.*

Les Moulis se situent à un échelon un peu moindre dans les Médoc. Mais la régularité de leur qualité en fait de bons partenaires dans une cave bien constituée. Enfin le Saint-Julien possède un record : celui de la proportion de crus classés malgré une superficie assez réduite. Les Saint-Julien marquent le juste milieu entre les brillants Pauillac et les Margaux exquis. On a là un vin rond, coloré, équilibré, qui devient de plus en plus aimable au fur et à mesure de son vieillissement. Parmi eux, le Château-Beychevelle est particulièrement élégant. Beychevelle (baisse-voile) lui vient de l'obligation faite aux navires passant au large de la propriété de saluer le vignoble.

On a le regret, quand on parle du Médoc, de ne pouvoir citer tous les crus de grande valeur, qu'ils soient considérés comme "classés" ou plus simplement "bourgeois". On ajoutera simplement que, pour cette seule région, pas moins de soixante crus ont été classés en cinq catégories.

Les Graves

La région se situe au sud du Médoc. Elle s'étend des portes de Bordeaux jusqu'à Langon. Vins rouges ou vins blancs affichent une qualité constante. Les rouges offrent une robe soutenue, de la solidité non exempte de finesse. Plus nerveux et corsés que les Médoc, ils savent très bien vieillir, qu'ils s'appellent Talence, Léognan, Cadaujac, Villeneuve d'Ornon et surtout ce Haut-Brion qui se découvre en plein faubourg de Bordeaux et qui est premier cru classé. Pessac, tout proche également de Bordeaux, produit de remarquables rouges.

Les blancs des Graves sont à la fois secs, fins et puissants. Mais ils prennent de plus en plus de moelleux au fur et à mesure qu'on descend vers le sud. Ainsi par exemple Léognan qui, hors son très bon rouge, donne un blanc très doux. Il est vrai qu'on se situe très près du plus célèbre des vins blancs du Bordelais.

Sauternes et Barsac

Ce vin n'est autre que le Sauternes. On ne compte pas moins de cinq communes à se disputer le droit d'utiliser la seule appellation : Sauternes, évidemment, mais aussi Barsac, Bommes, Preignac et Gargues.

Le maître chais du château de Coutet-Barsac goûtant un vin de Sauternes, au bouquet subtil et incomparable.

Pour ce blanc liquoreux qui n'a pas de rival sérieux, on peut parler de miracle. Le vignoble dispose d'un climat chaud et assez humide. Son raisin se couvre d'une sorte de feutrage dû à de minuscules champignons appelés *botrytis-cinerea* qui, par des suçoirs presque invisibles, absorbent l'eau du raisin et en diminuent l'acidité. Ils provoquent en même temps dans la pulpe une glycérine qui va augmenter largement la teneur en sucre. Par suite de la très lente fermentation, ce sucre naturel va intervenir dans l'élaboration de substances aromatiques qui vont donner au Sauternes un bouquet inégalable. Le travail humain pour parvenir au résultat recherché est long et minutieux. Il commence dès les vendanges. On doit cueillir le raisin grain à grain et ne garder que ceux qui possèdent le meilleur degré de surmaturation, ce qui implique un déchet important. Par ailleurs, si le mois d'octobre est très mauvais, toute la récolte devient inutilisable. Il n'y aura pas, cette année-là, de vrai Sauternes. Si la saison est favorable, on obtiendra une véritable liqueur, douce, d'un tissu riche et d'un arôme fleuri. Et sa couleur est telle qu'on dit que le grand Sauternes est un or liquide.

Le cru le plus célèbre est le Château-Yquem. Il a droit au titre de premier grand cru mais on compte également dans le vignoble onze premiers crus et douze deuxièmes crus.

Le Sauternes est un vin de dessert mais il est, dit-on, le meilleur "accompagnateur" du foie gras.

A l'est de Langon, l'importante région de l'Entre-Deux-Mers produit de remarquables vins blancs. Elle est limitée par la Garonne et la Dordogne. Une certaine mévente semble avoir incité plusieurs vignerons à changer leur chai d'épaule et à produire désormais un rouge de bonne tenue.

Saint-Emilion

Le Clos-Fortet, où l'on cultive l'une des vignes de Saint-Emilion.

Encore une région de très grand vin. Elle doit son nom à Emilion, un ouvrier boulanger d'origine bretonne. Touché par la foi, il vécut en ermite dans une grotte qui, heureusement pour lui, possédait une source d'eau pure. Il vécut ainsi en troglodyte au VIIIe siècle.

Le vignoble ne produit que du rouge dont le fleuron est le Château-Cheval-Blanc. Il donne un vin très corsé, vigoureux, charnu. Un velours rouge pénètre avec lui dans le palais et lui laisse un souvenir inoubliable. Autre grand Saint-Emilion, le Château-Ausone. La légende veut que ce vignoble occupe l'emplacement de la propriété du poète latin Ausone, près de Lucaniac. Né à Bordeaux, il s'en vint finir sa vie dans le pays de son enfance. Le Château-Ausone donne un produit généreux et élégant.

On dit des Saint-Emilion qu'ils sont "les Bourgogne des Bordeaux". Leur teneur moyenne en tanin leur assure une vieillesse heureuse qui peut se prolonger jusqu'à cinquante ans. Louis XIV qui ne lésinait pas sur la grandiloquence déclarait volontiers que le Saint-Emilion était "le nectar des dieux"...

Six communes autres que Saint-Emilion ont droit à la même appellation : Saint-Georges Montagne, Lussac, Puisseguin, Parnace et Sables, mais leur nom doit figurer obligatoirement en mêmes caractères avant celui du cru sur chaque étiquette.

Pomerol

Tout près de Saint-Emilion, à demi-cerné par la Dordogne, voici le Pomerol. Une petite région pour un grand vin. Ce n'est qu'au XIXe siècle qu'on l'a séparé de son voisin pour lui donner ses propres lettres de noblesse. Il mérite cette distinction à tous les sens du terme. Le Pomerol est un vin à la belle couleur rubis foncé, généreux et corsé, avec un arrière-goût très caractéristique. On a écrit qu'il était "un engrenage de saveurs et d'arômes". Aussi fin que le Médoc, aussi vigoureux que le Saint-Emilion, il se veut démocrate... Entendons par là qu'il n'a pas de classification officielle. Pourtant, on s'accorde à placer en tête le

27

Château-Petrus, au bouquet épanoui, tout en précisant que d'autres Châteaux, Certan, Vieux-Certan, La Conseillante, Petit-Village, L'Evangile, Lafleur, Gazin, possèdent la vertu des très bons rouges.

Le Pomerol peut se boire tôt, mais c'est après douze à quinze années qu'il offre tout son parfum et sa finesse.

Dans la cave de Château-Ausone, vieillissent les fûts d'un des meilleurs Bordeaux. Le poète latin qui eut le goût et la sagesse de retourner aux sources de son pays natal connaissait sans doute les vertus du vin de cette région si accueillante.

Les autres Bordeaux

Il existe encore dans ce Sud-Ouest privilégié beaucoup d'excellents Bordeaux qui ne sont jamais très loin des grands crus. On pourrait, notamment, citer dans le prolongement du terroir de Pomerol, le Lalande et le Néac puis, toujours dans le secteur de Libourne, enclavé par la Dordogne et l'Isle, les Fronsac. Le pays est très vallonné ce qui donne à ses coteaux, donc à ses vignobles, des orientations diverses et des vins dont la tonalité est assez étendue. Le Canon-Fronsac, très gouleyant, ne manque ni de bouquet ni de fermeté. Un peu dur en ses jeunes années, il prend de la bouteille avec bonheur. Un peu... négligé en France — et c'est une erreur —, il s'exporte surtout dans les pays du nord de l'Europe.

Face au Médoc, sur l'autre rive de la Gironde, le Blayais et le Bourgeais fournissent de très bons vins de table après deux ans et même un an de bouteille. Les rouges sont colorés et corsés. Côtes-de-Bourg et Côtes-de-Blaye fournissent aussi des blancs relativement secs et bien fruités. Depuis la montée des prix de tous les grands crus, ils ont fait une percée dans les foyers où l'on sacrifie, selon ses moyens, au "vin bouché du dimanche".

Un petit terroir sympathique, Graves-de-Vayres, au sud-ouest de Libourne, produit un rouge bien agréable en bouche, coloré et qui se place à la hauteur d'un second cru de Pomerol. Le blanc, moelleux, se révèle de qualité plus moyenne.

Il faut encore citer les Premières-Côtes-de-Bordeaux et leur vin rouge assez coloré et corsé, et leur blanc doux, presque liquoreux. Ils se tiennent bien à table sans viser les sommets. Les Côtes-de-Bordeaux-Saint-Macaire produisent surtout du vin blanc doux ou sec.

A noter enfin : les Côtes-de-Castillon, dont le vin rouge n'a qu'une qualité moyenne, les Côtes-de-Francs assez irréguliers mais qui ne manquent pas de nez, le Loupiac et le Sainte-Croix-du-Mont dont les vins blancs peuvent garnir quelques casiers d'une bonne cave, tout comme le Cérons et, enfin, le Sainte-Foy-Bordeaux qui propose quelques rouges fermes et corsés et des blancs amples de bouquet, qu'ils soient secs, moelleux ou demi-liquoreux.

Il existe toute une hiérarchie des vins de Bordeaux mais les classements officiels sont toujours controversés, ce qui amène les experts à procéder à des révisions... qui ne font pas plus l'unanimité. Les différents échelons de la hiérarchie, eux, ne changent pas. Ils s'étagent du 1er grand cru classé au cru bourgeois, en passant par le grand cru classé, le cru classé, le grand cru, les 1er, 2e, 3e, 4e, 5e crus et le cru bourgeois supérieur.

Tout en dégustant tel ou tel grand cru, on ne doit pas manquer de jeter un œil sur la grande capitale du Sud-Ouest, Bordeaux, qui a bâti de remarquables monuments à chaque carrefour ou presque. Mais on découvrira, au hasard de la randonnée dans le vignoble, nombre de localités charmantes qui souvent ont conservé un clocher roman, une tour de guet ou un bout de rempart. On constatera aussi que les contacts avec les habitants manquent d'autant moins d'amabilité qu'il y a toujours quelqu'un pour déboucher une bouteille et tendre un verre.

La gastronomie bordelaise n'est pas une vaine formule. On l'a évidemment imaginée autour du vin. La sauce bordelaise à base de rouge et d'échalote accompagne plusieurs viandes. Le coq au Saint-Emilion, l'alose au vin blanc, la lamproie au vin rouge comptent parmi les spécialités les plus fines et les plus parfumées.

Si les formes de cette statue romaine ont été quelque peu altérées par le temps, son esprit du moins doit veiller sur les vignes de Saint-Emilion et protéger leur "divine" production.

LA BOURGOGNE ET SES VINS OPULENTS

On ne découvre pas vraiment la Bourgogne du vin en empruntant les grandes routes. Il faut la chercher dans le quadrillage des chemins qui montent à l'assaut des coteaux car c'est au flanc des collines que la vigne a trouvé le meilleur terrain et l'ensoleillement nécessaire. En Bourgogne, le temps et l'exposition ont tant d'importance qu'on appelle "climats" les vignobles très morcelés, appartenant souvent à de petits propriétaires qui vendent leur production à un négociant-éleveur. Le village, lui, s'appelle finage. Et le climat d'un finage est souvent réservé au même négociant, qui se charge de mélanger les produits d'un même secteur afin d'obtenir des vins de qualité constante. Mais il y a des négociants qui sont eux-mêmes vignerons.

Les meilleurs vins de Bourgogne, produits dans des climats très sélectionnés, sont appelés "grands crus" ou "têtes de cuvées". Les vins d'une qualité moins affirmée sont des "premiers crus", puis viennent les "crus de village".

A gauche. Les vignobles des Côtes-de-Nuits, près de Nuits-Saint-Georges.

En Bourgogne, plus que partout ailleurs en France, c'est le vin qui a imposé une topographie définie. Chemins et sentiers sont tracés selon les nuances des terroirs. Il s'ensuit un puzzle étonnant dans lequel on distingue, en y regardant de près, cinq régions : la première et la plus riche, la Côte d'Or, englobe la Côte de Beaune qui va de Santenay à Ladoix-Sérigny et la Côte de Nuits qui s'étend de Corgoloin à Gevrey-Chambertin, ainsi que les arrière-côtes de Beaune et de Nuits. Viennent ensuite le Chalonnais, le Mâconnais, le Beaujolais et la Basse-Bourgogne.

Ce n'est pas gratuitement qu'on a baptisé "Côte d'Or" la grandissime, la superbissime, première région. Ses vins rouges ont tout pour eux : la somptuosité de la robe qui se pare de toutes les nuances : cerise, rubis, grenat, pourpre, sang... pour passer, en vieillissant, à des tons plus amortis, tuilés.

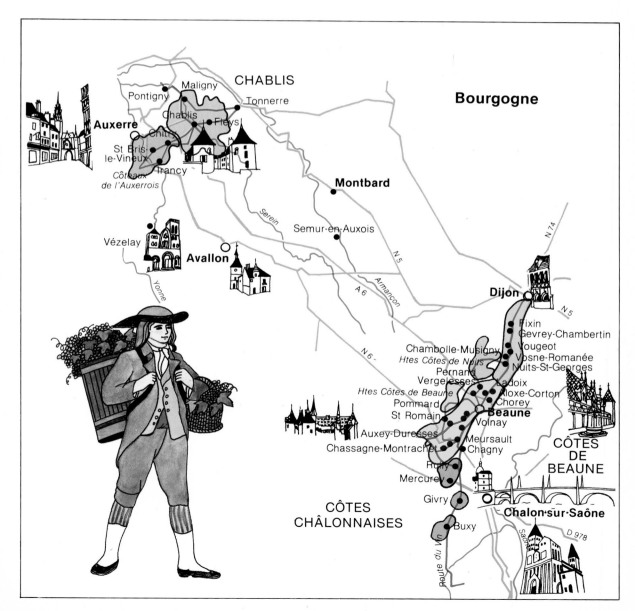

Les Bourgogne sont fermes, d'une chair pleine, veloutés, puissants et racés. D'une remarquable spirituosité, ils offrent un bouquet à la fois subtil et tenace. Ils vieillissent très bien et en prenant de l'âge, dévoilent des senteurs qu'ils tiennent de leur sol et qu'ils dissimulaient sous les parfums plus vifs de la jeunesse : sous-bois, truffe, ambre, musc, venaison, humus automnal.

Qu'on nous pardonne ce parallèle mais les amateurs de Bourgogne font penser à ces amis des chiens pour lesquels "leur" chien est le meilleur. Ainsi en est-il des Côtes-de-Nuits classés par certains comme les meilleurs rouges bourguignons. On y découvre d'ailleurs de tels crus qu'il est difficile d'en établir le classement. Alors on dira que le Vosne-Romanée devrait se classer en tête puisqu'il est le vin le plus cher du monde. Est-il vraiment supérieur au Chambertin, au Gevrey-Chambertin, au Clos-de-Vougeot, au Romanée-Conti et au Richebourg ? Les Saint-Georges, les Vaucrains en sont-ils si loin ? N'arbitrons pas le débat mais signalons que les blancs de la même région offrent des saveurs différentes et toutes exquises : goût de noisette pour ceux de Morey-Saint-Denis, Chambolle-Musigny, Vougeot, d'amande pour le Musigny (très rare), légèrement poivré pour le Clos-Vacquinot.

Si la Côte de Beaune produit d'excellents vins rouges et, notamment le célèbre Pommard, elle est surtout le secteur qui présente les meilleurs vins blancs du monde. Parmi eux, celui que l'on dit royal : le Montrachet. Sec, puissant, velouté, somptueux, il atteint la perfection. A un bouquet suave, à une saveur inégalable, il ajoute l'or pâle aux reflets vert-jaune de sa robe. Mais on peut apprécier tout aussi bien le Meursault qui sait se montrer à la fois sec et moelleux, dont la couleur or est plus soutenue et le bouquet corsé. On leur adjoindra les Corton-Charlemagne, Charlemagne et Corton blanc, les Duresses, les Perrières, les Charmes-Dessus.

Resserré au creux d'un coteau, le petit village de Pommard produit le plus célèbre des vins rouges de la Côte de Beaune.

Pour les rouges, outre le Pommard dont on assure qu'il représente le sexe fort dans une Côte de Beaune très féminine, on doit citer le Corton, l'Ile-de-Vergelesse, les Basses-Vergelesses, les Rugiens, les Caillerets qui ont le bonheur de fournir les premiers crus de Volnay, un vin tout de subtilité et de finesse.

Tous les vins de la Côte d'Or proviennent de deux cépages seulement : le pinot noir pour le rouge et le pinot chardonnay pour le blanc.

Le Chalonnais. Quatre finages forment ce qu'on appelle la côte chalonnaise. Ce sont Rully, Givry, Montagny et Mercurey. Ils ont un vin rouge possédant, mais à un degré moindre, les qualités de leurs cousins de Côte d'Or. La bouche en garde un souvenir ravi, certes, mais plus bref. On distingue dans le Mercurey surtout un arrière-goût de cassis pas du tout déplaisant. Mercurey produit aussi un vin blanc très délicat mais presque introuvable.

Rully donne, lui, un blanc léger très aromatique dont on fait un mousseux, et Montagny qui englobe le climat de Buxy a également un blanc qui n'est pas dénué de qualités.

LE MACONNAIS

Le vignoble s'étend de Tournus à Romanèche-Thorins, au sud de Mâcon. Le vin rouge n'est qu'un bon vin de table qui supporte tout de même quelques années de bouteille. En revanche les blancs y sont souples et secs. Le plus apprécié est le Pouilly-Fuissé dont le vignoble étend ses lignes de raisins autour de la célèbre roche préhistorique de Solutré. S'il n'a pas l'arôme du Meursault ni la finesse élégante du Chablis, un bon Pouilly-Fuissé sait être parfumé et rafraîchissant. Le Pouilly-Vinzelles et le Pouilly-Loché n'ont pas la même valeur mais ils restent de

33

très bon ton. Les blancs de Saint-Véran avaient un avantage : ils coûtaient nettement moins cher. Ils ont tendance, hélas, à gonfler leurs prix. On trouve également dans le Mâconnais un vin de Chardonnay vendu sous l'appellation Pinot-Chardonnay. Il existe dans les deux versions, rouge et blanc, comme le Mâcon supérieur et le Mâcon Villages. A boire à table quand ce n'est pas jour de liesse.

Nettoyage des vignes en Mâconnais.

Taillées et nettoyées, les vignes du Mâconnais attendent la fin de l'hiver pour produire feuilles et grappes de la prochaine récolte.

34

LE BEAUJOLAIS

On continue à inclure les Beaujolais dans les vins de Bourgogne. On devrait leur offrir la distinction qu'ils ont déjà conquise sur le terrain. Né du cépage gamay noir à jus blanc, le Beaujolais est devenu tellement populaire qu'il ne coupe pas toujours au coupage, la demande dépassant nettement l'offre.

Le Beaujolais

Neuf localités ont donné leur nom aux grands crus du Beaujolais. Le Moulin-à-Vent est désigné comme étant le meilleur, en tout cas le plus sérieux. Il a débordé sur les Chenas et les Romanèche-Thorins d'où quelques nuances dans le goût. Foncé, vigoureux, corsé, il s'améliore encore en vieillissant. On peut le tenir dix ans en cave. Le Chiroubles passe une excellente jeunesse. Il se montre alors doué de beaucoup de finesse. Brillant et translucide dans sa couleur rouge clair, il se laisse boire avec un réel plaisir. Le Fleurie, plus irrégulier, concurrence dans ses bonnes années le Moulin-à-Vent "soi-même". Le Juliénas est plein de chair et de vigueur avec une stabilité remarquable. Le Chenas se converse bien. C'est un produit franc, d'une classe moyenne, tout comme le Brouilly et le Côte-de-Brouilly. Quant au Saint-Amour, il doit une part de sa vogue à son nom, ce qui ne l'empêche pas de se montrer gouleyant. Irrégulier, le Morgon a, dans les très bonnes années, de la classe à revendre et, dans ce cas, se conserve bien en cave. Enfin, le Beaujolais-Villages qu'on ajoute souvent aux neuf "grands" possède une qualité majeure : il s'accommode de tout. Il se boit frais et jeune.

Les vignerons de la région proposent aussi des "Beaujolais" ou des "Beaujolais supérieurs". Non loin de Beaujeu, un viticulteur produit un vin "naturel" sans aucune addition de quoi que ce soit. Il est bon mais ne se conserve guère.

Le Beaujolais nouveau

Et le "Beaujolais nouveau" ? Autant le dire tout net, il s'agit là d'une astuce promotionnelle qui a réussi au-delà même des espérances de ceux qui en ont eu l'idée. Partout en France, et surtout à Paris, on attend que soit placardée l'affichette "Le Beaujolais nouveau est arrivé" pour se précipiter vers le comptoir des bistrots. Petit vin léger et frais, il est agréable à boire mais ne mérite pas l'honneur qu'on lui fait. On l'a élaboré à la hâte en lui laissant trop d'odeur de sève : il faut du temps et des soins pour avoir un bon Beaujolais.

La Basse-Bourgogne

La Basse-Bourgogne s'enroule autour d'un grand cru : le Chablis. C'est un blanc de classe dont la renommée est internationale. Autrefois, le vignoble occupait une bien plus grande superficie que ses 6 000 hectares actuels. Mais le phylloxéra s'y montra particulièrement destructeur et plusieurs gelées, au cours d'années successives, faillirent le ruiner complètement. Heureusement les Chablisiens, comme les autres vignerons, sont gens courageux et obstinés. Ils ont conservé, en dépit de tout, un cru dont l'absence se ferait sentir dans la carte des grands vins français.

Pour définir parfaitement ce vin blanc sec et parfumé, il suffit de relire ce qu'écrivait en 1850 un œnophile convaincu, le docteur Guyot :

« Les vins de Chablis sont spiritueux sans que l'esprit se fasse sentir. Ils ont du corps, de la finesse et un parfum charmant ; leurs blancheurs et leur limpidité sont remarquables. Mais ils se distinguent surtout par leurs qualités hygiéniques et digestives et par l'excitation vive, bienveillante, pleine de lucidité qu'ils donnent à l'intelligence. »

Hors le Chablis Grand Cru, on dénombre le Petit-Chablis, le Chablis Premier Cru, le Chablis et, au sud, les vins rouges et rosés d'Irancy et aussi le rosé de Marsannay. Enfin le Tannay blanc et son goût de pierre à fusil, pas désagréable du tout.

A droite. Typiquement bourguignon, le ravissant village de Gamay, dans le vignoble de la Côte d'Or.

La vendange à Chassagne, dans le vignoble de Montrachet qui produit le vin blanc "royal" de la Côte de Beaune.

Le Bourgogne en cave

Si on a la chance de posséder une bonne cave (dans une résidence secondaire par exemple) et qu'on veuille tirer soi-même son Bourgogne, voici quelques conseils valables aussi pour les autres vins :

— A moins d'être déjà un fin connaisseur, se laisser guider par un négociant sérieux et honnête qui présentera les vins prêts à la mise en bouteilles et, dans le choix proposé, indiquera le ou les vins de l'année les plus convenables.

— Maintenir la cave à température constante. Elle doit être saine et peu exposée aux vibrations.

— Laisser reposer le fût pendant deux semaines.

— Après avoir soigneusement lavé et rincé les bouteilles, les descendre dans la cave au moins un jour à l'avance pour qu'elles prennent elles-mêmes la température ambiante.

— Choisir des bouchons longs et cylindriques, d'excellente qualité, en se rappelant que "le goût de bouchon" tue une bonne bouteille. Pour éviter le risque, on trempe les bouchons une demi-heure dans de l'eau chaude puis dans de l'eau froide et au moment du tirage, on les trempe encore dans un peu de vin.

— Effectuer tout le tirage en une seule fois et sans interruption. On bouche immédiatement les bouteilles sans laisser de vide sous le bouchon. On les couche à plat, dans un coin sombre.

— Laisser reposer pendant environ trois mois... et, enfin, goûter son vin.

Les Bourgogne blancs et rosés se servent froids mais non frappés. Ils accompagnent les potages, les poissons, les crustacés. Les Bourgogne sont servis chambrés, à la température de la pièce, sans plus. On les présente couchés dans des paniers en graduant du plus léger au plus corsé. Si l'on veut se faire applaudir par des œnophiles éclairés (et si l'on en a les moyens) on offrira un Santenay, un Chassagne ou un Beaujolais pour les entrées, un Volnay, un Chambolle-Musigny ou un Beaune pour les volailles et les sauces blanches, un Pommard pour les viandes rouges, un Corton ou un Vougeot pour le gibier, un Chambertin ou un Musigny pour les fromages... et on arrosera le café avec, évidemment, un bon marc de Bourgogne !

Un des jardins de la France

Liquidons, si l'on ose dire, les vins bourguignons en citant quelques noms "autorisés" : le Passe-Tout-Grain, rouge, bon marché et à boire jeune. L'aligoté, blanc vif et nerveux de qualité moyenne (il entre avec bonheur dans les sauces). L'ordinaire et le grand ordinaire, dotés d'une petite qualité. Enfin le Bourgogne méthode champenoise et le Crémant de Bourgogne, mousseux, pétillants et fruités.

Mais on ne doit pas quitter cette terre d'élection sans rappeler que, d'un bout à l'autre du vignoble, on découvre une des plus belles régions de France. Son passé prestigieux lui a donné des abbayes romanes qui usent les meilleurs qualificatifs tant elles sont merveilleuses : Cluny, Tournus, Charlieu. Des églises ont également la pureté de l'art roman, telles celle de Paray-le-Monial ou celle, plus modeste mais charmante, d'Anzy-le-Duc. Les châteaux y sont moins nombreux que dans le Bordelais où ils finissent par devenir abusifs... Mais à lui seul, le château du Clos-de-Vougeot représente, au sens le plus littéral, un monument. Plusieurs villes disposent d'une foule de beautés qu'on ne peut oublier. Dijon, entre autres, n'a pas que son vieux quartier à visiter, même si son église Saint-Michel, par exemple, offre un curieux mélange de gothique flamboyant et de renaissance, et même une pointe de roman.

Enfin, cette région, voisine de la capitale de la gastronomie, Lyon, a elle-même une cuisine hautement gastronomique. Les sauces au vin s'accordent avec de nombreuses spécialités qui vont des œufs en meurette au fameux coq au vin.

L'architecture massive et sobre du château du Clos-Vougeot se campe au milieu des vignes qui produisent l'un des plus grands crus bourguignons.

LA GENEROSITE DES COTES-DU-RHONE

Les vignobles "Côtes-du-Rhône" se situent entre Vienne et Avignon, sur les coteaux longeant le fleuve. Ils produisent des vins très divers mais qui ont une qualité commune : leur générosité. Vigoureux, chaleureux, ils donnent le meilleur d'eux-mêmes au bout de quelques années de vieillissement. Malheureusement, on les laisse rarement vieillir suffisamment.

Aucune région vineuse n'offre une aussi grande variété de crus aux parfums souvent originaux. Plus de cent communes, situées sur six départements, font du vin, le plus souvent avec bonheur.

Au bord du Rhône, s'étend Tain-l'Hermitage, dont le vignoble produit deux crus fort appréciés des amateurs de Côtes-du-Rhône.

Le vignoble est divisé nettement en deux régions séparées par une bande d'une quarantaine de kilomètres sans raisins à vin. Elle va de Valence à Donzère. Encore faut-il, à cette hauteur, s'écarter nettement de la vallée du Rhône pour se diriger vers le Vaucluse. Les Côtes-du-Rhône du nord ont quelques seigneurs qui ont nom Côte-Rôtie, Condrieu, Château-Grillet, Hermitage, Crozes-Hermitage, Saint-Joseph, Cornas, Saint-Péray et Clairette de Die. Côte-Rôtie produit un rouge de grande tenue, excellent élément de cave car il vieillit bien. Condrieu et Château-Grillet sont des blancs secs emplis de finesse. Hermitage est aussi un vin de qualité, plein de sève et très fruité. Les rouges sont très soutenus. Les blancs ont également de la richesse. Crozes-Hermitage se situe un peu en dessous. Encore un très bon produit que ce Saint-Joseph avec sa robe rubis, son velouté, son parfum. Le Cornas, un peu moins délicat, a du corps. Tous deux vieillissent bien.

Quant au Saint-Péray et, plus encore la Clairette de Die, ils donnent de remarquables mousseux. Leurs producteurs le savent... puisque les prix ont monté !

Ne pas s'inquiéter si on constate un lourd dépôt dans l'Hermitage. Ce vin viril est coutumier du fait.

Passée la région improductive, on constate que les Côtes-du-Rhône méridionales n'ont rien à envier à leurs sœurs du nord. Elles lui opposent notamment un Châteauneuf-du-Pape de derrière les fagots... ou plutôt, de derrière les pierres car ses ceps se dressent sur un océan de pierrailles. Traité presque entièrement en rouges, ce vin très riche, corsé, se place dans les premiers rangs des grands crus français. Qu'on lui laisse six ans de bouteille et il concurrencera les meilleurs Bourgogne. Les crus à conseiller sont Château-Fortia, Domaine-de-la-Nerthe, Domaine de Beaucastel, Château-des-Fines-Roches et Clos-Saint-Pierre. La production annuelle du Châteauneuf-du-Pape atteint 100 000 hectolitres.

Autres Côtes-du-Rhône fort prisés : le Gigondas, voisin du Châteauneuf et qui en possède presque toutes les vertus mais en demi-ton. Bien en cave, moins cher, il donne aussi un rosé sec et un blanc sans grande tenue. Cairanne et Vacqueyras, non loin d'Orange, ont dans les trois gammes une production de qualité

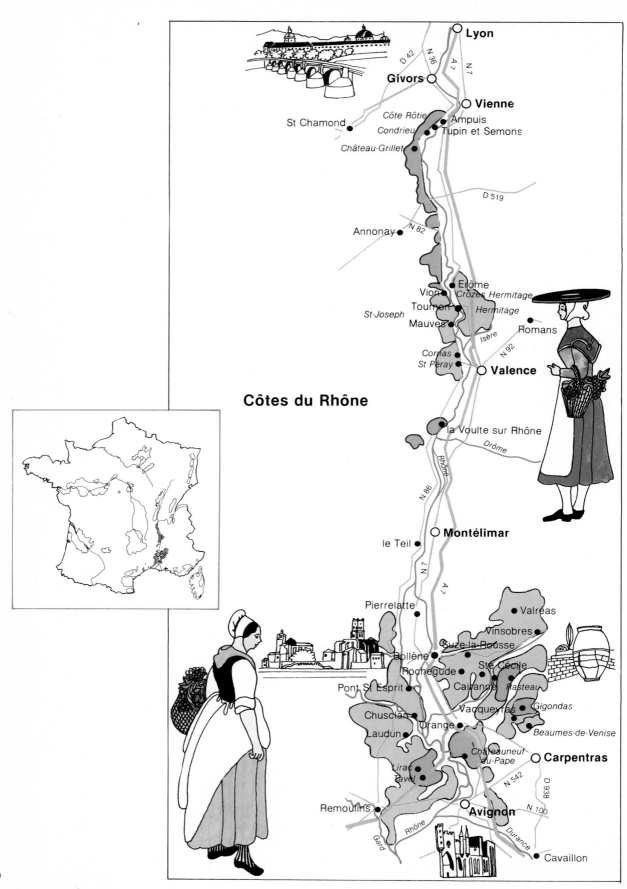

Côtes du Rhône

Lyon
Givors
Vienne
D 42
N 36
A 7
N 7
St Chamond
Côte Rôtie
Ampuis
Condrieu
Tupin et Semons
Château-Grillet
D 519
Annonay
N 82
Erôme
Vion
Crozes Hermitage
Tournon
Hermitage
St-Joseph
Mauves
Romans
Isère
N 92
Cornas
St Péray
Valence
la Voulte sur Rhône
Drôme
Rhône
N 86
le Teil
Montélimar
N 7
A 7
Pierrelatte
Valréas
Vinsobres
Suze-la-Rousse
Bollène
Ste Cécile
Rochegude
Cairanne
Rasteau
Pont St Esprit
Vacqueyras
Gigondas
Chusclan
Orange
Beaumes-de-Venise
Laudun
Châteauneuf-du-Pape
Carpentras
Lirac
Tavel
N 542
D 938
Remoulins
N 100
Avignon
Gard
Rhône
Durance
Cavaillon

moyenne mais agréable, tout comme le Haut-Comtat et le Laudun. Le Rasteau ou le Beaumes-de-Venise se sont fixés sur le vin blanc doux naturel qu'on peut boire en apéritif. Mais Tavel et Lirac sont des rosés fort connus, surtout le Tavel plus bouqueté et corsé.

Le vignoble de Tavel, dans le Gard.

A l'est de Montélimar, on découvre encore des Côtes-du-Rhône, petits vins fort honnêtes des Coteaux-du-Tricastin, de Châtillon-en-Diois et des Côtes-du-Ventoux. Ils sont à mettre sur la table car ils se boivent facilement.

Il s'y ajoute, dans le Vaucluse, les Côtes-du-Luberon et en Ardèche les Côtes-du-Vivarais. Ils se classent sous l'appellation V.D.Q.S. (vin de qualité supérieure).

Dans le Roussillon, où le soleil s'attarde bien après la vendange, l'automne donne au vignoble des teintes incomparables, et l'on retrouvera cette franchise de couleur dans les vins de pays du Vaucluse, que l'on boira en souvenir des étés méditerranéens.

LES VINS AU SOLEIL DU MIDI

Entre Espagne et Italie, la côte méditerranéenne n'offre pas que son soleil, ses sites et ses plages aux touristes. Elle a ses vins qui, sans avoir la tenue des grands crus, ne manquent pas de personnalité. Ils se laissent boire à table et apportent le complément nécessaire à une cuisine méridionale basée souvent sur les produits de la mer.

Le Languedoc-Roussillon. Pendant longtemps, ce fut le territoire du "gros rouge", du pinard acheté au litre. Les coopératives s'y multipliaient avec leur production "industrielle". Aujourd'hui les vignerons soignent mieux leur vin, utilisent des méthodes plus élaborées. La qualité moyenne s'est nettement améliorée.

Les Corbières et le Fitou. Les Corbières, par exemple, produisent un vin de table toujours corsé mais moins rude qu'auparavant. Le rouge a pris du poids alors que le rosé et le blanc ont une grâce limitée. Le Fitou qui se cultive non loin d'une adorable chapelle pré-romane atteint à un échelon qui lui donne droit à l'appellation d'origine contrôlée, qu'il mérite largement.

En haut. Vignoble dans les Corbières.

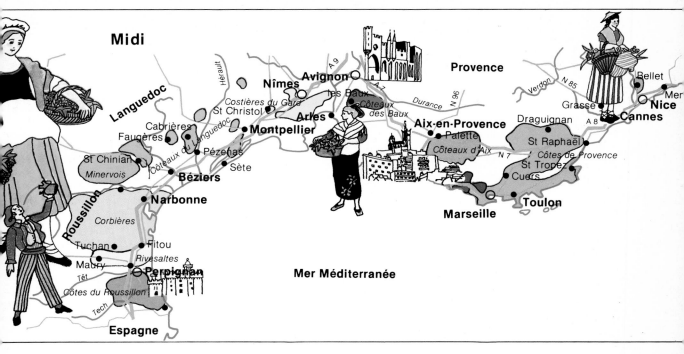

Le Minervois.

Les vins rouges du Minervois, au nord de la ligne Narbonne-Carcassonne, fournissent nombre de tables dominicales. On peut ne pas s'attarder sur les blancs et les rosés.

Saint-Chinian et Coteaux du Languedoc. Le Saint-Chinian a de la rondeur et de la sève, et Cabrières ou Faugères n'en sont pas loin. Les autres coteaux du Languedoc ont une production de qualité bien moyenne.

Les Costières du Gard. Au sud de Nîmes, on trouve des rouges moins épais mais qui ont assez de bouquet. Les rosés et les blancs, secs, ne cherchent pas à se situer dans les hauteurs.

La Blanquette de Limoux. C'est un remarquable vin mousseux parfumé, à la couleur jaune pâle, très renommé, qui a un soupçon de goût de citron. Eviter la version douce, elle est plate !

Les vins doux naturels. Si le Corbières du Roussillon et le Collioure sont des rouges chaleureux, les Côtes-du-Roussillon présentent surtout des vins doux, naturels : rouges, blancs ou rosés portant l'étiquette "Grand Roussillon" apparaissent d'une saveur sucrée plus qu'agréable. Les vins de Banyuls, Rivesaltes, Maury, Côtes d'Agly, Muscat de Rivesaltes accompagnent l'heure de l'apéritif avec beaucoup de bonheur. Il en va de même pour le Frontignan, le Lunel et le Mireval. Quant à la Clairette du Languedoc, elle se montre très capiteuse et se transforme en Rancio, apéritif qui se situe entre le muscat et le vermouth.

La Provence. Les côtes de Provence sont délimitées par le Rhône et le Var. Avec le soleil pour compagnon presque permanent, cette région ne peut que produire des vins riches en nuances et saveurs particulières. Et c'est dans une sarabande

colorée que les rouges, les rosés et quelques blancs entraînent les amateurs de vins frais et secs, rafraîchissants et parfumés.

Les vignobles qui cernent Aix donnent des vins assez semblables aux Côtes-de-Provence mais un peu moins soutenus.

Les coteaux des Baux ont surtout des blancs et des rosés à mettre en valeur alors que Pierrevert, au nord-est d'Aix, s'en tient aux rosés. Ils sont d'ailleurs puissants et plus parfumés que les rosés "Côtes-de-Provence".

Dans les trois couleurs, avec des nuances assez voisines, il faut encore citer Palette près d'Aix, Cassis, Bandol et Bellet, au-dessus de Nice.

Ci-dessous, à gauche. L'hiver dans le vignoble d'Aix-en-Provence.

Ci-dessus, à droite. Le printemps dans celui de Propriano, en Corse.

La Corse. Le meilleur vin corse est le Patrimonio qui se récolte près de Bastia. Il est aussi charnu, corsé, rouge que son voisin, le Cap Corse, est doux, moelleux et délicat. Entre ces extrêmes, on découvre une gamme originale car elle provient en majeure partie de ceps indigènes. Patrimonio a aussi des blancs et des rosés. Les Coteaux d'Ajaccio, Figari, Porto-Vecchio proposent une production toujours parfumée. La Balagne et l'Ile Rousse présentent des vignobles parmi les plus anciens de France. On peut citer aussi Piana, Corte, Bastelica ou Ormessa.

Bien vinifiés, les vins corses, déjà excellents quand ils sont jeunes, prennent un bouquet élégant en vieillissant. Et comme ils sont rafraîchissants, ils risquent de monter insidieusement à la tête si on les apprécie un peu trop !

LES BONS VOISINS DU BORDELAIS

On a fait du Bordelais une région vinicole limitée et on a eu raison. Mais le Sud-Ouest, ce n'est pas que ce Bordelais privilégié. Alentour naissent des vins qui fleurent bon et qui se boivent bien. Très bien même. Ils se sont souvent fait un nom uniquement chez eux parce que, assurait-on, "ils supportaient mal le voyage"... Aujourd'hui on en déguste partout et on ne s'en plaint pas.

Ainsi le Cahors, ce "vin noir", a dû attendre 1971 pour avoir droit à l'appellation contrôlée. Même si, en 1776, un édit du roi Louis XVI avait mis fin au "Privilège de Bordeaux", le Cahors a longtemps souffert de la concurrence d'un voisin jaloux et toujours imbu de ses droits. Pour comble de malheur, le phylloxéra et les gelées de 1956 réduisirent le vignoble à quelques coteaux plus ou moins épargnés. Et il a fallu beaucoup de courage aux quelque quarante communes qui produisaient du vin pour de nouveau couvrir leur territoire de vignes. Bien soigné, bien traité, le Cahors possède une couleur cramoisie presque noire. Riche, plein, il ne connaît son apogée qu'après plusieurs années de fût (entre trois et cinq ans) et de bouteille (cinq à dix ans). Mais dans son cas comme dans bien d'autres, la demande est devenue telle qu'on ne lui permet plus de vieillir. Pire encore... on peut s'attendre à voir un jour placardée sur les fenêtres des bistrots "Le Cahors nouveau est arrivé" ! Vieux, ce vin prend de grandes qualités : harmonieux, bien charpenté, corsé, il possède un bouquet particulier et beaucoup de distinction.

Dans le bassin de la Garonne, les autres vins à signaler sont les Côtes-de-Duras avec leurs blancs moelleux sans être trop doux et leurs rouges moyens ; les Côtes-de-Buzet, au sud de Marmande, avec des rouges, des blancs et des rosés, produits surtout en coopérative, bouquetés et agréables ; les Gaillac dont on dit que le vignoble a été le "père du Bordelais", ce qui est lui faire bien de l'honneur même si ses rouges ne manquent pas de charmes et si son mousseux est de qualité.

Le bassin de l'Adour compte un vin célèbre, le Jurançon, avec lequel on baptisa Henri IV. Le vignoble s'étend au sud et à l'ouest de Pau. Parfumé de muscade et de cannelle, le Jurançon est assez rare... et cher. En revanche le Madiran, qui nous vient du nord de Pau, poursuit une progression assez impressionnante après avoir été presque abandonné. Il faut dire que certains viticulteurs multipliaient les coupages. Aujourd'hui, on redécouvre le vrai Madiran avec ses qualités propres : vigueur, générosité, bouquet particulier. Vin de très bonne garde, il s'améliore énormément en vieillissant. Le Pacherenc-du-Vic-Bilh, blanc à la fois sec et doux, ne paraît pas souffrir du pétrole de son sous-sol. Quant à l'Irouléguy du sud de Bayonne, il se boit bien, qu'il soit rouge ou rosé.

Le bassin de la Dordogne a deux fleurons : le Bergerac et le Montbazillac qui, contrairement à ce qui est dit parfois, ne sont pas des Bordeaux et ne veulent pas l'être. Le Bergerac rouge est léger avec un rien d'âpreté. On peut le préférer au rosé fruité, mais ne pas oublier dans ses choix le blanc parfumé et distingué. Quant au Montbazillac, il vaut mieux que son surnom de "Sauternes du pauvre". Rond, fruité, moelleux sans excès, il peut se boire comme apéritif.

Autres vins locaux : les Côtes-de-Saussignac aux blancs assez proches du Montbazillac ; les Côtes-de-Bergerac dont les rouges râpent agréablement le palais et dont le rosé se boit sans ennui ; la Rosette qui, paradoxalement, est un blanc assez jaune de robe et qui observe un juste milieu entre le sec et le doux ; les Montravel, blancs eux aussi, avec trois qualités selon leurs vignobles. Chacun des trois montre suffisamment de valeur pour qu'on ait envie de les déguster ; quant au Pécharmant, pas assez connu sans doute, il offre un excellent rouge à la belle robe, qui s'affirme surtout au bout de deux à trois années de bouteille.

LA GRANDE VARIETE DES VINS DE LOIRE

Si le Beaujolais est, dit-on, le troisième fleuve qui arrose Lyon (avec le Rhône et la Saône), la Loire peut revendiquer le titre de "fleuve à vin" ! De Pouilly-sur-Loire à Saint-Nazaire, elle traverse une suite pratiquement ininterrompue de vignobles qui, pour la plupart, possèdent une forte personnalité et dont les crus apportent aux amateurs une diversité étonnante de saveurs, de forces, de couleurs et, pour tout dire, de bien-être.

Partons de Pouilly-sur-Loire dont le vin blanc, léger et sec se boit jeune, alors que le Pouilly-Fumé dont la très belle robe jaune-clair prend des reflets d'émeraude à la lumière se consomme plus agréablement après un an ou deux de cave. Il possède un petit arrière-goût de musc.

A l'ouest de Pouilly, le vignoble de Sancerre jouit d'une juste réputation. Son blanc a des titres à faire valoir : sec, racé, plein, aux arômes nets du Sauvignon d'où il tire son origine. Le Sancerre blanc plaît à tous les palais. Le rosé, sec lui aussi, est de bonne tenue. Quant au rouge, il est préférable de le boire jeune.

Non loin de Sancerre, on découvre un excellent petit vignoble, le Menetou-Salon. Il garde ses raisins abrités par son château. Le terroir a d'abord donné un blanc sincère et fruité. Le rosé a suivi. Mais le rouge, encore peu connu, provoque une heureuse surprise... si on tombe sur un bon viticulteur. Très parfumé, il laisse un plaisant goût de framboise dans la bouche. Il a une bonne tenue en cave.

Un peu plus au sud, le Quincy tire d'une terre pauvre un blanc fin et bouqueté alors que son voisin, le Reuilly, joue les trois couleurs avec avantage au rosé. Le blanc est un peu dur et le rouge éprouve du mal à dépasser une petite moyenne.

Le vignoble de Pouilly-sur-Loire, situé au-dessus des rives sablonneuses du fleuve, jouit d'un climat doux aux automnes lumineux et tardifs.

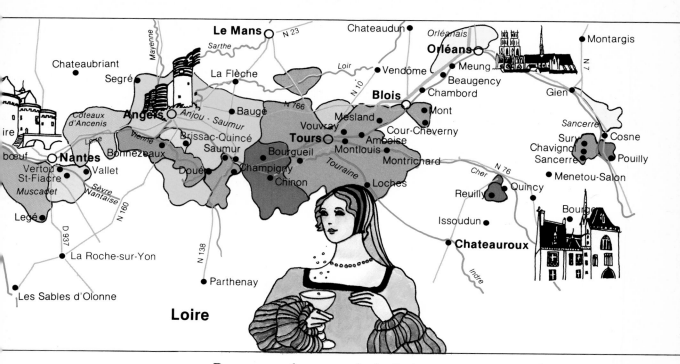

Loire

Regagnons le cours de la Loire pour traverser le Giennois. Avec ses rouges légers et fruités, ses blancs secs, ses rosés très moyens, le vignoble de Gien annonce l'Orléanais, qui n'est plus ce qu'il a été.

En effet le terroir de la région d'Orléans a été un de ceux qui ont le plus souffert de l'invasion du phylloxéra. De plus, nécessité oblige, les voies ferrées et leurs ramifications, nombreuses dans la région, ont provoqué soit le déplacement soit la suppression des vignes. Aujourd'hui, c'est surtout le Vin gris, élaboré à partir du pinot-meunier, qui reste connu et suivi. Les rouges et les blancs ne sont que de qualité moyenne. A noter aussi Cour-Cheverny au vin blanc sec et Mons-près-Chambord.

Beaucoup plus important, et plus valeureux, le vignoble de Touraine englobe la région s'étendant entre Blois et Tours. Il est en grande partie situé dans le département d'Indre-et-Loire. Le terrain, très doué pour la vigne, est caillouteux et sablé ou bien crayeux. Il produit de très grands vins dont le plus mondialement connu est, bien entendu, le Vouvray. Pour l'apprécier à sa grande valeur, il faut le boire sur place, alors qu'on est allé chercher une bouteille dans une cave tourangelle creusée en plein rocher. Servi "tel qu'en lui-même", pétillant ou mousseux, liquoreux, il apparaît avec tout son fruité et sa fraîcheur. Dans la bouche, reste un goût délicieux mais indéfinissable. Il s'y mêle le raisin frais, l'acacia, le coing, l'amande, la noisette. Boire ainsi un Vouvray est un instant de joie.

Le Montlouis qui est proche... n'est pas loin. Il a été d'ailleurs longtemps vendu sous l'appellation "Vouvray". On lui découvre donc les mêmes qualités, mais les connaisseurs le trouvent un peu plus léger.

Bourgueil et Saint-Nicolas-de-Bourgueil donnent aussi un vin rouge de très grande qualité avec un arrière-goût de framboise. Ils vont bien à table même avec de grands plats. Ils font tranquillement leur percée parmi les crus renommés. Et le Chinon, lui aussi de très bonne manière, ajoute à son parfum de framboise celui de la violette. Rouge, il dépasse nettement son blanc et son rosé.

Trois autres vins de Touraine, Touraine-Azay-le-Rideau, Touraine-Amboise et Touraine-Mesland, sont bien charpentés. Et puis il fait bon les déguster quand on s'est lancé dans le circuit des châteaux du Val de Loire.

Au nord de Tours, on constatera que les vins des Coteaux-du-Loir-Jasnières constituent un appoint de table non négligeable. Le blanc sec peut accompagner des entrées. Un vin rouge des Coteaux-du-Loir surprend par sa pointe épicée fort amusante et supportable.

Le vignoble tourangeau, assez morcelé, a conservé un certain nombre de petits vignerons qui assurent "ne faire du vin que pour leur consommation" mais qui n'ont pas besoin de sommation pour en vendre quelques bouteilles !

Les vignobles de Touraine et d'Anjou ont, arbitrairement, leur frontière commune à Fontevrault où repose, entre autres têtes anglaises, la très infidèle Aliénor d'Aquitaine. Ici, le roi du vignoble angevin est le Saumur suivi de près par... l'Anjou.

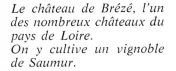

*Le château de Brézé, l'un des nombreux châteaux du pays de Loire.
On y cultive un vignoble de Saumur.*

Il faut préciser que les vins de Saumur ont essaimé. On devrait dire qu'ils se scindent avant de se mélanger. Pour y voir plus clair, on doit signaler que trente-sept communes, pas une de moins, ont droit à l'appellation "Saumur". C'est dire si ce vin léger, pétulant, peut présenter des nuances perceptibles pour les œnophiles. Les vins de Saumur champagnisés se font de plus en plus. Ils dépassent désormais la production des blancs de Saumur (50 000 hectolitres contre 35 000). Ils vieillissent bien. Il faut les boire brut. Le Saumur rouge n'a pas à rougir de sa production même si le tanin et l'épice s'y font sentir. Un rouge de Saumur-Champigny a du caractère surtout si on le laisse vieillir. C'est, encore, un bon élément de cave. Pour le rosé, le Cabernet de Saumur, demi-sec de belle couleur rose-cuivré, tient la corde.

Les Coteaux-du-Layon, du nom d'un petit affluent de la Loire, vont du blanc sec au blanc liquoreux. Dorés, ensoleillés, assez alcoolisés, ils ont deux appellations contrôlées, Quart-de-Chaume et Bonnezeaux, qui marient vivacité et élégance. Ils se boivent frais.

Au sud d'Angers, les Coteaux-de-l'Aubance ont un blanc demi-sec assez recommandable alors que le rosé manque d'ambition. En revanche, les Coteaux-de-la-Loire forment de grands vins blancs. Secs ou demi-secs, débordants de sève, ils portent l'appellation "Savennières" et présentent surtout deux crus de grande valeur : la Coulée de Serrant et la Roche-aux-Moines. Ils possèdent la même élégance et la même délicatesse, mais le second est un peu moins corsé que le premier.

Terre de transition vineuse, les coteaux d'Ancenis permettent de goûter à des vins blancs frais, de bouquet bien dosé et qui annoncent le Muscadet. Les rouges et les rosés sont également souples et légers. On peut s'arrêter à Champtoceaux parce que le vin blanc est digne de souvenir et que cette petite ville est bâtie sur un piton d'où l'on a une vue admirable sur le Val de Loire.

Cépage blanc des vignobles de Muscadet.

Dernière étape au long de la Loire du vin, la région de Nantes avec son Muscadet et son Gros-Plant. Il y a belle lurette que le Muscadet s'est fait sa place au soleil. On sait qu'il accompagne au mieux les fruits de mer mais aussi que ce blanc empli de gaieté et de fraîcheur peut se boire seul, uniquement pour le plaisir. Fruité, il frise sous la langue. Mais attention, tous les Muscadet n'ont pas la même valeur. Les meilleurs sont le Muscadet-des-Coteaux-de-la-Loire et le Muscadet-de-Sèvre-et-Maine. Nettement moins cher, le Gros-Plant n'a sans doute pas toutes les qualités de son "grand frère", mais il est fort plaisant. Il peut doubler le Muscadet en de nombreuses occasions.

Bien entendu, tout le long du voyage au bord du fleuve, la lente remontée de Pouilly à Nantes sera entrecoupée de haltes-châteaux, de haltes-églises, de haltes-bons repas. *In medio stat virtus*, assure un proverbe ou plutôt un adage... La vertu au milieu... La Loire n'est-elle pas le milieu de la France ?

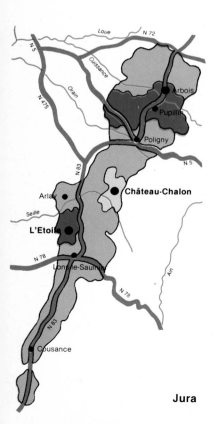

Savoie

Jura

LA SAGA DES "VINS DE PARTOUT"

Hors des régions qui ont affirmé leur importance et leur personnalité, on découvre encore des vins de terroir qui honorent leur région. Très souvent d'excellente venue, ils se laissent apprécier quand on veut bien aller à eux. Et, depuis quelques temps, ils ont même tendance à sortir de leurs frontières.

La Savoie étend, entre Grenoble et Thonon-les-Bains, un vignoble qui met au jour des vins n'ayant de pâle que leur couleur. Ils se montrent frais et joyeux. Ce sont en effet les blancs qui offrent un ensemble de vertus appréciables : légèreté, finesse, vivacité ; aimablement acidulés, ils se montrent bien rafraîchissants. Nommons Seyssel, Ripaille, Frangy, Marestel, Apremont, Abymes, de Myans. Mais la Savoie ne néglige pas les vins rouges et rosés qui vont bien à table... et même sur les bonnes tables. On les boit autour de Chambéry, à Cruet, Montmélian, Chignin et dans le Grésivaudan à Sainte-Marie-d'Alloix. On ne peut passer sous silence les mousseux gentiment frivoles. La Roussette de Savoie est en train de se faire un nom et on imagine que la Roussette de Frangy suivra la même voie. Crépy et Seyssel produisent de bons mousseux.

Le vignoble d'Ayse mérite une mention spéciale. Tout comme le terroir de Mondeuse. Le rouge de la Mondeuse donne un parfum à tout ce qui l'accompagne car il est très fruité. Si on lui laisse prendre de l'âge, il laisse apparaître un fond de framboise, de violette ou de truffe. Quant au rosé, le Montagnieu, il se montre aussi frais que léger.

Le Jura a sa région viticole dans les coteaux bien abrités et orientés en bordure de la plaine de Bresse, sur une ligne parallèle à la Côte d'Or. Au centre du vignoble le plus étendu, Arbois a fait sa percée avec des vins originaux qu'on ne trouve vraiment pas ailleurs. Outre les trois couleurs habituelles, il produit un Vin jaune et un Vin de paille que des personnages illustres appréciaient plus que tout autre. Les deux ennemis François Ier et Charles-Quint leur portaient la même faveur. Château-Chalon donne lui aussi un vin jaune dont les connaisseurs affirment qu'il est inégalable. Il lui faut tant de conditions complémentaires qu'il se blottit au fond de vallées qui le protègent et lui donnent la chaleur nécessaire. Il lui faut aussi un sol de marne bleue mêlée d'éboulis calcaires. C'est dire que son vignoble est restreint. Mais quel seigneur !

Deux autres appellations regroupent les vins du Jura. L'Etoile, au nord de Lons-le-Saunier, a également ses vins jaunes et ses vins de paille appréciés. Elle donne aussi des rouges de bonne tenue et surtout des blancs renommés. A citer aussi : ses mousseux. Les Côtes-du-Jura ont des rouges et des rosés qui vieillissent bien sans proposer autre chose qu'un bon équilibre. Les blancs, d'abord un peu acides, s'adoucissent en prenant de l'âge. L'appellation couvre douze cantons avec un Saint-Amour (ne pas confondre avec le Beaujolais portant le même nom).

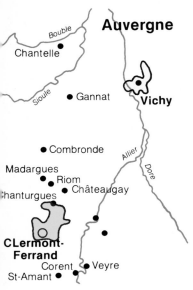

Un détail. Pour le Château-Chalon, il ne faut pas demander une bouteille mais un "clavelin" qu'on pourra boire chambré.

Les vins d'Auvergne. Doit-on situer Saint-Pourçain en Auvergne ? Localité de l'Allier, au sud de Moulins, elle est cernée par des vignobles dont les produits sont parfois classés parmi les vins de Loire. Ses vins blancs ont une limpidité jaune clair avec des reflets vert pâle. Leur saveur délicate rappelle assez curieusement le parfum de la pomme. Une bonne clientèle allemande les achète. Outre-Rhin, ils deviendront mousseux. Les vins rouges ont un petit goût de Beaujolais... mais très petit ! On les trouve bien coulants. D'excellents rosés en complètent la gamme.

Demandez à un Auvergnat quel est le meilleur vin du monde. Il indiquera, sans hésiter, le Chanturgues. En réalité cet excellent rouge, de couleur cerise, est léger, fruité et délicat. Dans une bonne année, son parfum se corse d'un bouquet de violette qui n'est pas déplaisant du tout. Malheureusement le Chanturgues se fait rare. Le Corent a connu lui aussi son heure de gloire avec un rosé à la fois corsé et fruité. Enfin, entre Riom et Clermont, le cru de Châteaugay se récolte à l'ombre d'un château médiéval au donjon imposant. Il s'y déroula en septembre 1425 une scène hallucinante de magie noire. Seigneur du lieu assoiffé de richesse, de pouvoir et d'amour, Pierre de Giac y vendit son âme et sa main droite à Satan ! Ce souvenir très historique ne trouble pas les vignerons qui se soucient seulement de réussir un vin rouge ou rosé de bonne qualité qu'on boit volontiers dans les villes d'eau proches. Dans l'Aveyron, le Marcillac est un vin rouge léger et gai cependant qu'Estaing partage son petit vignoble entre un rouge agréable au parfum délicat et un blanc sec et racé.

Pour essayer de ne pas oublier trop de crus régionaux qui n'ont comme défaut que celui de ne pas être connus du grand public, citons encore quelques noms.

C'est le cas de Châteaumeillant, près de Montluçon. Son vin rouge est avenant et fruité. Son rosé ne manque pas de bouquet et de finesse.

Plusieurs communes des Deux-Sèvres produisent le Thouarsais qui apparaît léger et bon pour la table.

Dans le Haut-Poitou, on cherche actuellement à redonner de la force à un terroir presque disparu. Le vin récolté et amené à la coopérative de Neuville-de-Poitou est lui aussi destiné à la table quotidienne.

Les vins dits Côtes-du-Forez proviennent de la vallée du Lignon. Ils ont du grain, de la verve dans leur robe rouge, alors que les rosés ne manquent pas de nerf.

Le vignoble landais de Tursan a ses vins blancs très francs et parfumés.

En Lorraine, on trouve encore quelques vins gris ou rosés mais l'exploitation vinicole semble de moins en moins suivie.

Enfin, tout près de Paris, le vin de Suresnes, même s'il n'est pas produit en grande quantité, se montre dans sa robe jaune miel fort gouleyant. On lui prédirait de l'avenir si le vignoble n'était pas aussi resserré.

UN VIN POUR CHAQUE PLAT

Il y a, en France, un vin pour chaque plat. Mais il est impossible, hélas, de posséder une cave telle qu'elle puisse apporter sa contribution particulière à la diversité des menus qu'on peut imaginer en cuisine. On se voit donc obligé de généraliser tout en évitant les erreurs par trop flagrantes.

Un premier point est à observer : ce qu'on appelle la cuisine régionale s'est, tout naturellement, bâtie autour des vins du pays. Un exemple : le coq au vin ne doit se concevoir qu'avec une sauce au vin de Bourgogne (et, de préférence, un Chambertin). Et tout le monde sait qu'une bonne choucroute s'accompagne d'un vin d'Alsace ou de Champagne, même si quelques particularistes la mangent en l'arrosant de bière.

Autre observation : les grands crus français restent inégalables mais depuis quelques années, nombre de vins de pays, grâce surtout à des procédés de vinification mieux élaborés, se sont bonifiés au point qu'ils peuvent être présentés dans des dîners relevés. Sans parler du Cahors qui a conquis ses titres de noblesse, un Madiran, un Corbières, un Bourgueil, parmi tant d'autres, ont le droit d'être appréciés.

On ne peut ici établir une liste des plats et, pour chacun d'eux, des vins qui les habillent. Elle serait trop longue. En revanche, on indiquera de façon plus générale les vins qui, eux, s'accommodent de telle catégorie de nourriture. Ce répertoire a l'avantage d'offrir plus de clarté... et d'occasionner moins de frais à un hôte soucieux de recevoir au mieux ses invités.

Il est possible, d'ailleurs, d'"unifier" les vins pour un repas, selon sa région, ou sa cave. Voici quelques indications.

Vins de Bordeaux

Hors-d'œuvre : Graves blanc sec, Sainte-Foy vinifié en sec, Entre-Deux-Mers, Côtes-de-Bordeaux secs. *Entrées chaudes :* mêmes crus mais plus moelleux ou encore, Sauternes, Barsac. *Viandes et rôtis :* les grands crus rouges, Médoc, Pomerol, Saint-Emilion. *Fromages :* mêmes crus mais choisis parmi les bien corsés. *Entremets et desserts :* Barsac, Sauternes et les autres blancs moelleux.

Vins de Bourgogne

Hors-d'œuvre : Pouilly-Fuissé, aligoté, Mâcon (blanc), Chablis. *Entrées chaudes :* Meursault, Montrachet, Montagny et les Beaujolais assez légers. *Viandes et rôtis :* tous les rouges et aussi tous les Beaujolais qu'on reprendra pour les *fromages* mais en choisissant les plus riches en bouquet. *Desserts et entremets :* pas de vins de Bourgogne. On prendra un vin doux "voisin".

Vins de Loire

Hors-d'œuvre : les blancs secs, le Sancerre, le Pouilly (Loire ou Fumé). *Entrées chaudes :* Vouvray doux, rosé de Touraine ou Cabernet. *Viandes et rôtis :* Bourgueil, Saint-Nicolas, Sancerre

Banyuls Bordeaux Muscadet

rouge. *Fromages* : Bourgueil, Chinon, Champigny. *Desserts et entremets* : Vouvray, Coteaux-de-Loire.

Vins du Sud-Ouest (hors Bordeaux)
   Hors-d'œuvre : Bergerac, Montravel, Jurançon, Béarn. *Entrées chaudes* : Montbazillac, rosé de Bergerac ou de Béarn, Gaillac. *Viandes et rôtis* : Bergerac rouge, Irouléguy, Madiran, Cahors, Tursan. *Fromages* : les mêmes crus en très corsés. *Desserts et entremets* : Montbazillac, Gaillac, Jurançon.

Côte-de-Provence   Côte-du-Rhône   Anjou

On peut tout aussi bien faire un choix et diversifier les vins dans un repas. Par exemple, pour les *hors-d'œuvre* : Riesling, Quincy, Seyssel, Apremont, Arbois, Château-Grillet. *Entrées chaudes* : Tavel, rosés de Provence ou d'Arbois, Côtes-du-Rhône rosé, Château-Chalon, Lirac. *Viandes et rôtis* : Châteauneuf-du-Pape, Côte-Rôtie, Hermitage, Côtes-du-Rhône rouge, Corbières, Fitou, Saint-Chinian. *Fromages* : Côtes-du-Rhône corsé, Minervois, Costières-du-Gard. *Desserts et entremets* : deux excellents vins pétillants : Clairette de Die, Blanquette de Limoux, ou encore le Gewurztraminer.

Il va sans dire que les combinaisons sont multiples. Et il peut paraître injuste de ne pas citer des crus tout aussi savoureux. Mais déjà les Bourguignons pourraient se formaliser de ne pas avoir lu, par exemple, le nom du Gevrey-Chambertin, tout comme les Bordelais auraient sans doute voulu que le Château-Margaux fût désigné nommément.

Champagne   Riesling   Bourgogne

D'une manière générale, le mariage entre vins et mets se conçoit de la façon suivante :
   Entrées et hors-d'œuvre : vins blancs secs ou demi-secs, rosés secs ou rouges très légers.
   Viandes et volailles : rouges ayant du bouquet, moyennement corsés. Plus corsés si le plat comporte une sauce relevée.
   Gibiers : vins de la valeur des grands crus, généreux, puissants.
   Fromages : là encore des vins rouges corsés pour les fromages fermentés et, au contraire, des vins blancs de pays pour les fromages doux à pâte molle.
   Poissons, mollusques, coquillages et crustacés : des vins blancs secs ou des mousseux blancs secs.
   Desserts et entremets : Champagne demi-sec, vins mousseux ou liquoreux.
   Fruits : vins blancs liquoreux, vins doux naturels, Champagne demi-sec.
   Pour un plat très particulier mais aussi très recherché, le foie gras d'oie ou de canard, on servira soit un grand vin rouge, soit au contraire des grands blancs liquoreux comme par exemple le Sauternes.
   Enfin, pour aussi bizarre que cela puisse paraître, un amateur de bon vin et de franches lippées aura raison de boire de l'eau avec les plats vinaigrés, la salade, les oranges et les entremets chocolatés.

Crépy   Blanc de blanc   Sauvignon

53

SAVOIR BOIRE ET SERVIR

Les verres

On ne déguste pas un vin de qualité dans n'importe quel verre. Trois éléments majeurs interviennent dans le choix de celui-ci : la couleur, la matière, la forme.

Le verre doit être blanc. Le premier plaisir de l'amateur de bon vin est d'en contempler, d'en admirer la couleur à l'état pur. On ne doit donc pas la dénaturer avec un verre même très peu teinté.

La matière même de ce verre doit être fine et pure. La transparence du cristal offre au vin la lumière et le reflet qui le mettent en valeur. De plus, par sa finesse, il ne s'interpose pas entre le liquide et les lèvres. Le cristal peut à la rigueur être gravé mais non pas taillé. Des verreries proposent des créations très belles, qualifiées souvent de "pièces de musée"... Rappelons que la fonction du verre est de permettre au vin de présenter ses propres vertus, ni plus ni moins. Il n'est qu'un faire-valoir. Son rôle, dans l'ordonnancement d'une table, n'est pas de resplendir au détriment du vin à qui il servira de support.

La forme, enfin, ne doit jamais être négligée. Il est indispensable que le verre ait un pied. L'œnophile doit pouvoir regarder, sentir, goûter un vin, sans risquer d'en gêner les attraits par des doigts plus ou moins collés sur les parois du verre. Un pied dont la tige est cylindrique permet une excellente prise en main. Il faut également qu'on puisse boire "convenablement" un vin sans en projeter sur son visage... ou sur sa chemise. L'Association Française de Normalisation (AFNOR) a défini le type de verre à dégustation. Il s'agit d'un gobelet à pied, de forme oblongue mais resserrée vers le bord. C'est, en gros, la forme tulipe. Mais il est évident qu'on ne choisira pas ce verre pour goûter le Champagne. A ce propos, la bonne règle veut que pour un vin pétillant, la flûte s'impose. L'expression "boire une coupe de champagne" constitue une hérésie. La surface trop large de la coupe laisse se dégager trop rapidement les bulles et, avec elles, une partie de l'arôme subtil du vin.

Chaque grande région viticole de France a depuis longtemps créé la verrerie qui lui convient. On ne peut ici les citer. Un service de verres contient généralement des récipients de dimensions et de contenances différentes qu'on utilisera selon le vin proposé.

Comment boire un vin pour l'apprécier pleinement ? Ce n'est pas sacrifier à un certain snobisme ou "faire des manières" que d'observer certains rites destinés à restituer au liquide toute sa valeur.

Le verre n'est empli que d'un quart environ. L'œnophile le saisit, le porte à hauteur de ses yeux. Il lui imprime, lentement et à deux ou trois reprises, un mouvement rotatif d'un demi-tour. Ainsi le vin prend tout son éclat cependant que son bouquet s'affermit.

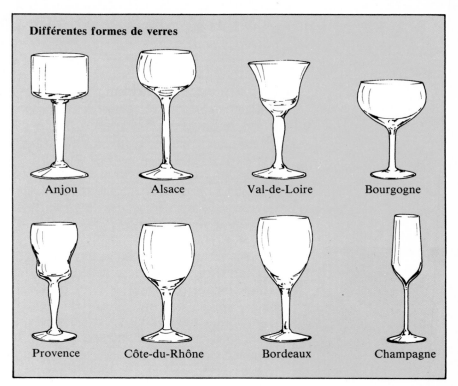

Différentes formes de verres

Anjou · Alsace · Val-de-Loire · Bourgogne

Provence · Côte-du-Rhône · Bordeaux · Champagne

Un vin de qualité se déguste dans un verre choisi. Et choisi en particulier pour sa forme.

Le vin

"On sent le vin, on le respire, ce n'est qu'ensuite qu'on porte le verre aux lèvres."

On sent un vin. On le respire. Ce n'est qu'ensuite qu'on porte le verre aux lèvres. La première lampée va s'étaler sur la langue, envahir le palais. C'est elle qui donne les indications les plus précieuses. Celles qui suivront, absorbées avec la même lenteur, la même rigueur, ne feront que confirmer l'impression originale. L'amateur de bon vin est fixé. Et rien ne fera plus de plaisir au propriétaire de la bouteille que de voir son invité opiner gravement d'un hochement de menton affirmatif.

En tout état de cause, on ne doit jamais emplir un verre à ras bord, pas plus qu'il ne faut réagir goulûment. Un bon vin ne s'avale pas. Il se déguste.

On ne doit jamais brutaliser une bouteille pour la déboucher. On enlève d'abord la capsule métallique en la découpant un peu en-dessous du goulot. Pour enlever le bouchon, on se sert d'un bon tire-bouchon à levier, à ailettes ou à facettes. Et on tire tranquillement. Il faut percer entièrement le bouchon afin qu'il ne se casse pas en laissant une partie dans le goulot. On essuie le rebord du goulot avec un torchon bien propre. On sent discrètement le bouchon pour déceler si le vin n'est pas "bouchonné". On le goûte soi-même avant de l'offrir.

Pour verser un vin, on tient la bouteille légèrement au-dessus du verre, sans le toucher, et on verse lentement en évitant de trop remuer la bouteille. Un bon vin ne doit pas être agité.

Enfin, on évite de faire tomber la goutte sur la nappe en faisant subir une légère rotation à la bouteille en même temps qu'on relève le goulot. La dernière goutte glissera sur la bouteille et on l'essuiera immédiatement avec le linge qu'on a en main.

55

AVOIR SA CAVE A SOI

Quel amateur de bon vin ne rêve pas d'avoir sa cave ? Il se satisfait autant de la constituer que de la boire. Il s'offre un plaisir rare lorsqu'il descend dans ce véritable sanctuaire pour y ranger les dernières pièces qu'il vient de se procurer ou pour choisir les bouteilles qui accompagneront le repas offert à des amis. Une bonne cave, c'est un lieu de détente et même de méditation. Il faut y prendre son temps. Etre reçu par ces grands noms de l'armorial que sont Pomerol, Chambertin, Riesling et autres Veuve Cliquot n'est pas un mince honneur. Ils vous dispensent tant de faveurs !

En d'autres temps, la cave avait ses casiers à bouteilles et ses tonneaux où l'on soutirait le vin de tous les jours. Aujourd'hui, on trouve généralement plus expédient d'aller le chercher chez l'épicier du coin. Il est juste de préciser qu'en ville, posséder une bonne cave à vins est devenu chose rare. Nos architectes modernes ont bien d'autres... chais à fouetter que de prendre le souci de prévoir un sous-sol où le vin pourrait se conserver et bien vieillir... On ne va pas, tout de même, priver tout un immeuble de chaudières et de tuyaux de chauffage central pour quelque hurluberlu qui voudrait entreposer ses bouteilles !

Heureusement, nombre de citadins possèdent désormais leur résidence secondaire et, si c'est une vieille demeure, elle aura une cave voûtée conçue pour garder une température constante... justement celle qui convient à la sauvegarde du vin !

Car c'est la cave qui d'abord fait le bon vin. Il lui faut un ensemble de qualités. Essayons de les définir.

La bonne cave se situe dans les fondations de la maison qui doivent être saines et orientées si possible au nord. Ses murs sont en pierre et le sol en terre battue, recouverte ou non de graviers. Murs et sol respirent et ils sont aérés par une ouverture, de faible surface, creusée au ras du sol. L'aération ainsi réglée permet de doser l'humidité. Cette hygrométrie est nécessaire à condition qu'elle ne devienne pas abusive. Si une moisissure grise ou blanche se développe sur les murs et même sur les bouteilles, on ne doit pas trop s'inquiéter car elle n'est pas obligatoirement nocive. Mais à moins d'être réellement connaisseur, il vaut mieux demander à un spécialiste ce qu'il en pense. Le cas échéant, il vous indiquera la méthode à suivre pour la supprimer.

Une cave sèche n'est pas à utiliser sauf si l'on remédie au manque d'humidité au moyen d'appareils spéciaux.

Une cave à vin ne doit contenir rien d'autre que du vin ou du matériel qui s'y rapporte. Légumes, charbon, produits divers, plantes à hiverner doivent en être bannis et plus encore la chaudière ou la cuve à mazout.

La cave à vin ne doit pas être soumise aux bruits et encore moins aux trépidations de la rue. Le calme lui est nécessaire.

En bas. La cave d'un particulier.

Ci-dessous. La fabrication d'un tonneau.

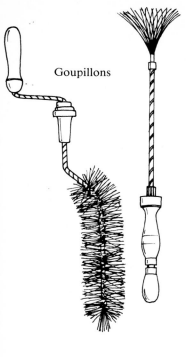

Goupillons

La cave à vin ne doit pas ressembler à un réfrigérateur. La bonne température constante se situe entre 10 et 12 °C. En cas d'été torride, elle montera peut-être un peu plus mais ce n'est pas dramatique. Ce que le vin ne supporte pas du tout, ce sont les écarts brutaux.

Si on décide de mettre soi-même du vin en bouteilles, l'opération devra se faire dans la cave même mais en prenant certaines précautions. Pendant la mise en bouteilles, on devra entretenir un courant d'air suffisant pour ne pas être incommodé par les vapeurs d'alcool et l'odeur du tanin. Sinon, on risque de se retrouver avec les jambes flageolantes et l'esprit embué. Mais en aucun cas, l'air ne doit pénétrer dans la bouteille.

Si vous n'apposez pas d'étiquette sur chaque bouteille, ne manquez pas d'indiquer la provenance du vin et sa date de mise en bouteilles sur le casier où vous allez garder couchées les précieuses bouteilles. Complétez les renseignements sur un livre de cave où vous noterez le nombre de bouteilles, le type de vin, l'année, le millésime, la date d'arrivée, chaque fois que vous garnirez vos rayons. N'oubliez pas non plus de décompter celles que vous enlevez. Un bon caviste doit toujours savoir ce qu'il a en cave.

La constitution d'une cave

Porte-bouteilles en plastique

Porte-bouteilles en bois

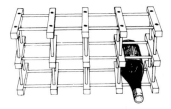

Il y a plusieurs façons de se constituer une cave "potable", selon les fonds dont on dispose.

Même si l'on peut faire soi-même un peu de mise en bouteilles, il devient impossible de passer de tonneaux en tonneaux et de crus en crus. On va donc acheter les vins par bouteilles. On se trouve alors devant trois possibilités.

On a le temps de parcourir les foires, d'assister aux manifestations agricoles voire aux fêtes du vin. On peut avoir des contacts directs avec des propriétaires, des vignerons, qui vous font goûter leurs vins. Pour peu que vous ayez du nez, vous choisissez en toute connaissance de cause et, de plus, vous pouvez garder le contact avec vos fournisseurs pour les années à venir.

On n'a pas le temps de se déplacer. On trouve alors dans divers journaux des publicités pour la vente par correspondance. Là, on prend un risque puisqu'on ne peut pas goûter le vin que l'on commande.

Troisième solution : on cherche un négociant sérieux et honnête, qui vous procurera chez ses propres fournisseurs les vins désirés. S'il est bon commerçant, il prendra la responsabilité de votre cave. Cette formule est la plus onéreuse puisque votre intermédiaire prend son bénéfice, mais elle apporte une garantie.

Regarder les étiquettes

Une bouteille porte sur elle-même, quand on l'achète pour la boire ou pour la mettre en cave, des indications précieuses, qui se trouvent sur son étiquette. Autrefois, leur libellé n'était pas compliqué. Aujourd'hui, il leur arrive de porter des inscriptions, le plus souvent en abrégé qu'il faut savoir comprendre. Que veulent dire les initiales A.O.C., V.D.Q.S. et V.C.C. ?

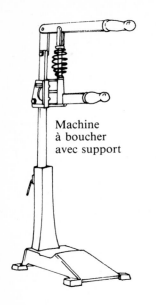

Machine
à boucher
avec support

Un A.O.C. est un vin d'appellation d'origine contrôlée. C'est un label de qualité qui est décerné d'après certains critères : terrain excellent, cépages autorisés ou sélectionnés, teneur minimale en alcool, techniques viticoles éprouvées, rendement à l'hectare et vinification contrôlés. Il peut s'y ajouter également un contrôle direct par dégustation.

Le V.D.Q.S. est un vin délimité de qualité supérieure. Il se situe à l'échelon "en-dessous" tout en se présentant comme un très bon produit. Il fait, lui aussi, l'objet de différents contrôles avant de pouvoir utiliser ce label de garantie.

Enfin, le V.C.C. est un vin de consommation courante. On en propose deux catégories : vins de pays et vins de coupage. On les désigne aussi aussi sous le nom de "vins de table". L'origine et le degré d'alcool doivent apparaître sur l'étiquette.

Pour les vins de Bordeaux, la "mise en bouteille au château" doit constituer une garantie de qualité tout comme, ailleurs, la mise en bouteille à la propriété.

Il faut donc savoir lire une étiquette... sans se laisser séduire par son apparence. Ce n'est pas parce qu'une bouteille est habillée d'une étiquette "tape-à-l'œil" que son contenu est forcément de qualité. Par ailleurs, une réglementation communautaire fait état de plusieurs mentions complémentaires. Laissons-les à leurs "inventeurs".

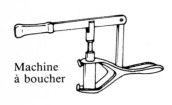

Machine
à boucher

Très souvent, enfin, le millésime est indiqué sur une seconde étiquette apposée au bas du goulot. Il précise l'année de naissance du vin. Ce renseignement est important car pour la vigne, les années se suivent et ne se ressemblent pas. Il en est de prestigieuses et d'autres à peine moyennes. Signalons que, de l'avis de tous les connaisseurs, l'année 1982 restera, sous toutes les latitudes, une des plus fameuses.

On trouvera en fin de chapitre un tableau des bonnes années. Il pourra être utile au moment où l'on décidera d'aménager sa cave.

Tonnelet

Le bon choix

Tastevin

Comment faire un choix parmi tant de vins à savourer ? Tout dépend d'abord du porte-monnaie... mais, sauf si l'on dispose de très grands moyens, il n'est guère possible de se procurer une quantité importante de grands crus. Par ailleurs, il faut faire la part des bouteilles à boire assez rapidement et de celles que l'on veut laisser vieillir. Essayons d'indiquer une sélection correcte.

On a assez l'habitude de compter les bouteilles par six ou douze. Imaginons une cave de cent vingt bouteilles. On pourra la composer du nombre suivant de bouteilles.

Vins à garder : douze de Bordeaux rouge (Haut-Brion, Pessac, etc.), douze de Bourgogne rouge (Fixin, Auxey-Duresse), six de Côtes-du-Rhône (Côte-Rôtie, Cornas), six de Châteauneuf-du-Pape, six de Beaujolais (Juliénas, Chiroubles), six de Menetou-

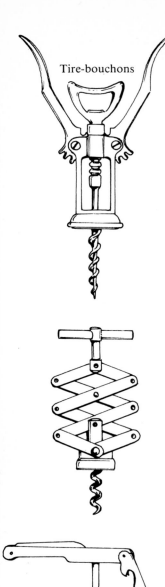

Tire-bouchons

Salon rouge, six de Cahors, six de Bourgogne blanc (Meursault), six de Sauternes et de Barsac, six de Château-Chalon, six de Champagne de marque.

Vins à boire : six de Bordeaux rouge (Haut-Médoc), six de Bourgogne rouge (Chambolle-Musigny), six de Côtes-du-Rhône, six de Bourgueil ou Chinon, six de Riesling, six de Chablis, six de Champagne (petits propriétaires) ou de grands mousseux (Vouvray, Blanquette de Limoux, Clairette de Die).

Il va sans dire que cette sélection est purement arbitraire, pour ne pas dire idéale. On peut en modifier les noms à l'infini. Il est évident par exemple que si on a la chance d'habiter dans une région viticole, on fera sa cave en partant des produits du cru et en la complétant ensuite par d'autres vins. On doit chercher à emmagasiner un choix assez varié de bouteilles en se rappelant qu'on ne doit pas s'en tenir uniquement à son propre goût. On doit penser également à ses futurs invités et pouvoir leur offrir ce qu'ils préfèrent.

Nous sommes partis d'une sélection s'appuyant sur le carton de six bouteilles. Mais, surtout dans les vins à garder, on peut très bien diviser ce chiffre, prendre par exemple trois Menetou-Salon et trois Fitou ou deux Sauternes, deux Barsac et deux Montbazillac.

Mais on doit penser aussi aux vins de pays souvent excellents. Ils complètent avec bonheur une cave bien constituée.

Si on veut commencer "petit", on peut s'en tenir — pour posséder tout de même un certain choix — à cinquante ou soixante bouteilles.

Rappelons que les vins doivent être tenus couchés, exception faite pour les alcools, les apéritifs, les liqueurs qui doivent rester debout.

Enfin, un œnophile ne doit pas être un collectionneur ! Il peut évidemment chercher à augmenter le nombre de ses bouteilles et tendre vers une cave regorgeant de grands vins. Mais il doit savoir se faire plaisir et faire plaisir aux autres. On peut toujours découvrir l'occasion d'offrir un verre et de trinquer.

Quand un vin est tiré, même s'il est en bouteille, il faut le boire !

Les bonnes années

Les vignobles français se situent sous diverses latitudes. Ils n'ont pas tous le même climat et il est très rare qu'une année donne les mêmes bons résultats partout. Il se peut, par exemple, que les Bordeaux aient joui des conditions climatiques parfaites alors que les vins en Bourgogne auront eu à subir des périodes de grêle ou des gelées précoces. C'est pourquoi un acheteur ne doit écouter que d'une oreille méfiante le vendeur qui affirme : « Cher, ce Châteauneuf ? Mais monsieur, regardez le millésime... c'est celui d'une grande année ! »

Par ailleurs, une appréciation ne peut être donnée que si elle s'appuie sur une moyenne. Exemple : 1975 a été une année exceptionnelle pour le Bordeaux. Mais il est possible que le procédé de vinification de tel ou tel viticulteur lui ait laissé des séquelles.

Enfin, une année peut avoir été excellente... pendant la période où le vin se bonifie en vieillissant. Passé une certaine limite qui varie d'un cru à l'autre, le vin, devenu trop vieux, casse et perd ses qualités premières.

Sans qu'on puisse l'expliquer réellement, on a constaté que d'une manière générale ce sont les années impaires qui sont les meilleures... avec, au moins, une exception étonnante et qui, en somme, confirme la règle. Année paire, 1982 aura été une réussite pour pratiquement toutes les récoltes.

Depuis la fin de la guerre, on peut établir un tableau des millésimes pour les principaux vignobles. Il faut en exclure les Beaujolais qui dorment bien en cave... mais qu'il faut réveiller assez rapidement. On précisera que 1976 et 1978 ont été pour eux de bonnes années.

Le tableau (à droite) a été établi en partant de 1950. La dernière guerre avait laissé des traces profondes en quelques régions viticoles et il a fallu plusieurs années pour que le vignoble français retrouve toute sa vigueur.

Les très grandes années sont désignées par un G, les bonnes par un B, les moyennes par un M et les petites par un P. Les G* indiquent les récoltes vraiment exceptionnelles. Les années qui ont suivi 1978 ont donné des vins de bonne qualité avec de très bons rouges. Mais 1982 restera probablement dans tous les cœurs vineux comme l'année phare du vignoble français.

ADRESSES UTILES

Institut Technique de la Vigne et du Vin 3, rue de Rigny 75008 Paris - **Comité National des Vins de France** 43, rue de Naples 75008 Paris - **Institut National des Appellations d'Origine (I N A O)** 138, avenue des Champs-Elysées 75008 Paris - **Compagnie des Courtiers-Jurés Piqueurs de Vins de Paris** 41, avenue du Petit-Château 75012 Paris - **Comité Interprofessionnel des Vins d'Alsace** 8, place de-Lattre-de-Tassigny 68000 Colmar - **Comité Interprofessionnel du Vin de Champagne** 5, rue Henri-Martin 51321 Epernay - **Vins de Bourgogne - Maison du Tourisme** Avenue du Maréchal-de-Lattre-de-Tassigny, BP 113, 71000 Mâcon - **Comité Interprofessionnel A O C de Bourgogne** Petite place Carnot 21200 Beaune - **Comité Interprofessionnel du Vin de Bordeaux** 1, cours du 30-Juillet 33000 Bordeaux - **Union Interprofessionnelle des Vins du Beaujolais** 24, bd Vermorel 69400 Villefranche-sur-Saône - **Comité Interprofessionnel des Vins de Côtes-du-Rhône - Maison du Tourisme** 41, cours Jean-Jaurès 84000 Avignon - **Comité Interprofessionnel des Vins du Pays Nantais** 17, rue des Etats 44000 Nantes - **Comité Interprofessionnel des Vins d'Anjou** 21, bd Foch 49000 Angers - **Comité Interprofessionnel des Vins de Touraine - Chambre de Commerce** 12, rue Berthelot 37000 Tours - **Conseil Interprofessionnel des Vins de Bergerac** 8, place du Docteur-Cayla 24100 Bergerac - **Comité Interprofessionnel des Vins des Côtes de Provence** 3, avenue Jean-Jaurès 83460 Les Arc-sur-Argens - **Comité Interprofessionnel des Vins de Fitou, Corbières, Minervois** 55, avenue Georges-Clemenceau 11200 Lézignan-Corbières - **Syndicat des Vins du Jura** Château Montfort 39600 Arbois - **Syndicat des Vins de Savoie** 73000 Chambéry.

LES BONNES ANNEES DU VIN

Année	Alsace	Champagne	Bordeaux rouge	Bordeaux blanc
1950	M	M	B	B
1951	M	P	M	P
1952	B	B	B	B
1953	B	B	G	B
1954	M	M	M	M
1955	B	G	G*	G
1956	M	M	B	M
1957	B	M	M	M
1958	B	M	M	M
1959	G*	G*	B	B
1960	M	M	M	M
1961	B	B	G*	G*
1962	B	B	G	B
1963	M	P	P	P
1964	B	B	G	B
1965	M	P	M	P
1966	B	G	G	B
1967	B	M	G	B
1968	M	P	M	M
1969	B	G	G	B
1970	M	B	G	B
1971	B	B	B	B
1972	P	M	M	P
1973	G	B	B	M
1974	B	M	B	B
1975	B	B	G*	G*
1976	G	B	G	B
1977	M	M	M	M
1978	B	B	G	M

Année	Bourgogne rouge	Bourgogne blanc	Côtes du Rhône	Anjou Loire
1950	M	B	B	M
1951	P	P	M	P
1952	B	B	G	B
1953	B	B	M	B
1954	M	M	B	M
1955	G	G	G	B
1956	M	M	B	M
1957	B	B	B	B
1958	M	B	M	B
1959	G*	B	B	G*
1960	M	M	G*	B
1961	G*	G*	B	M
1962	B	B	B	B
1963	M	M	M	M
1964	G	B	B	B
1965	P	M	M	M
1966	B	B	G	B
1967	M	B	B	M
1968	M	P	M	M
1969	G	G	M	B
1970	B	B	M	B
1971	B	B	B	B
1972	M	M	M	P
1973	M	B	P	M
1974	B	B	P	M
1975	B	B	M	B
1976	G	G	M	B
1977	M	M	B	M
1978	G	G	B	B

TABLE DES MATIERES

Création originale des Editions de la Nouvelle Librairie, la collection *les Bonnes Recettes de France* a été réalisée sous la direction de Martine Allain, assistée de Isabelle Jarry et de Philippe Riou.
Le texte de ce volume a été écrit par René-Pierre Audras.
Photographies de ce volume : Dagli Orti p. 2, 3, 4, 5, 11, 13, 14, 16, 17, 18, 19, 20, 22, 30, 38, 59. Edimedia p. 6. F. Jalain p. 9 (en bas), 23, 25, 26, 27, 28, 29, 32, 36, 39, 42, 44, 46, 48, 49, 55. P.-J. Jessueld p. 8, 9 (en haut), 34, 56. Rapho, Cicione p. 44. Illustrations de Sylviane Alloy, Marie Chartrain et Jean-Pierre Morel.
Dépôt légal : 1er trimestre 1983. Numéro de catalogue : 287 019. Numéro d'éditeur : 339 42. ISBN : 2 86479 019 X.
Imprimé en Espagne.
Les Editions de la Nouvelle Librairie remercient Monsieur Lucien Legrand, *Chemin des vignes,* Issy-les-Moulineaux, et Monsieur Lorenzatti, restaurant *les Marronniers,* 53 bis Bd Arago, Paris, pour leur aimable collaboration.